傑作戦闘機とレシプロエンジン

著者・撮影：佐藤 雄一／藤森 篤
Author & Photographer : Yuichi Sato / Atsushi "Fred" Fujimori

古典エンジンの機能美

Functional Beauty of the Vintage Engines

Rolls-Royce Merlin Mk.25

航空エンジンの傑作として名高いロールスロイス・マーリンは、イギリス空軍機のみならず米パッカード社でもライセンス生産され、P-51マスタングなどにも搭載された。この『Mk.25』は、モスキート戦闘爆撃機に搭載された型式である。マーリンはその構造に起因するのか、始動時に排気管から盛大な炎を吹き出す光景が、しばしば見られる。

Pratt & Whitney R-2800-79B "Double Wasp"

P-47サンダーボルトやF6Fヘルキャット、F4Uコルセアなどが搭載するP&W R-2800“ダブル・ワスプ”は、空冷星型複列18気筒、排気量45.9ℓ、2,000馬力級の大出力を誇り、頑丈な構造と抜群の信頼性で、第二次大戦後半の米軍主力エンジンとなった。この『-79B』シリーズは、A-26Bインベーダー攻撃機が搭載した型式である。

古典エンジンの機能美

Functional Beauty
of the Vintage Engines

古典エンジンの機能美

Functional Beauty of the Vintage Engines

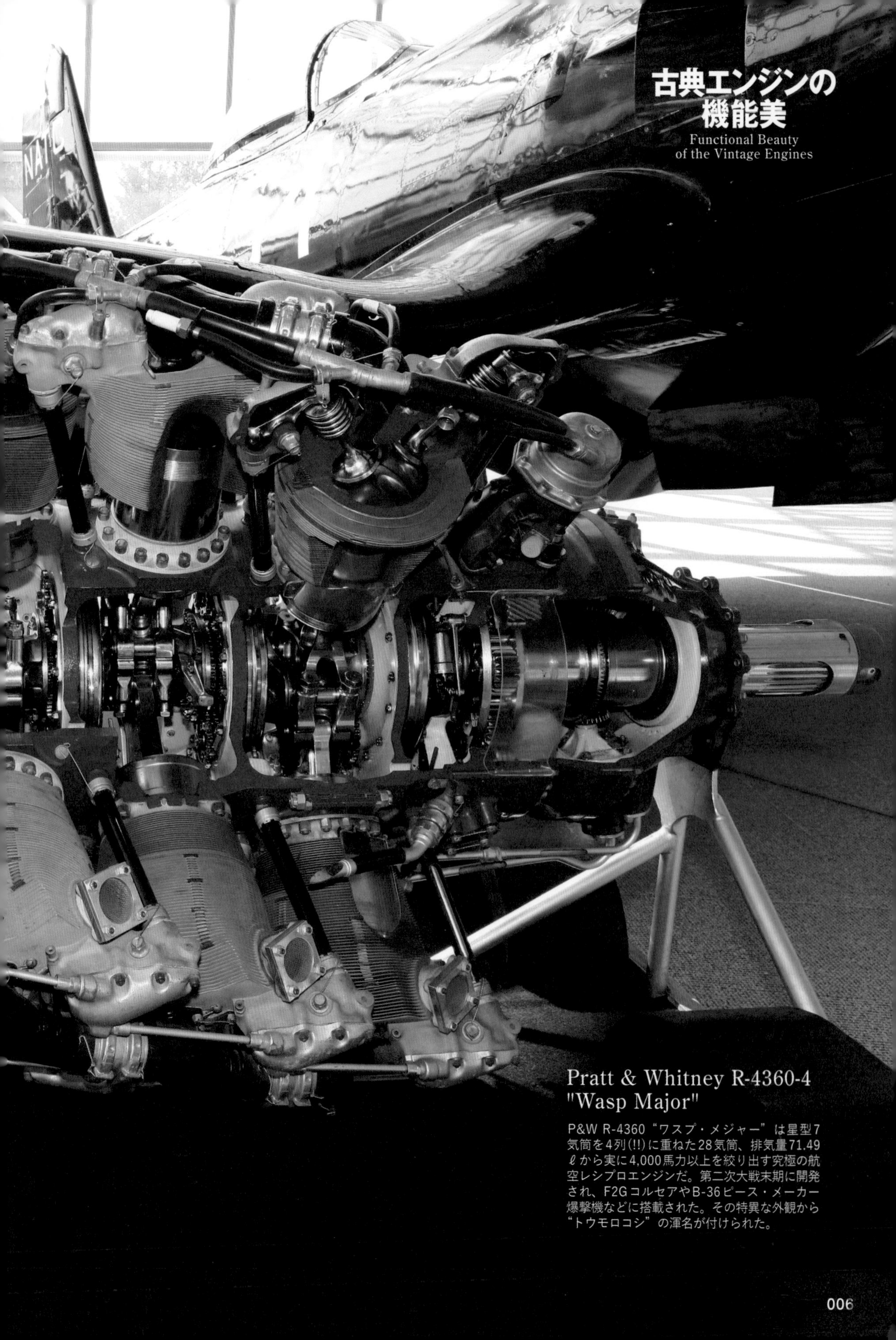

Pratt & Whitney R-4360-4 "Wasp Major"

P&W R-4360“ワスプ・メジャー”は星型7気筒を4列(!!)に重ねた28気筒、排気量71.49ℓから実に4,000馬力以上を絞り出す究極の航空レシプロエンジンだ。第二次大戦末期に開発され、F2GコルセアやB-36ピース・メーカー爆撃機などに搭載された。その特異な外観から“トウモロコシ”の渾名が付けられた。

EXIT

傑作戦闘機とレシプロエンジン

メンテ、組立、試運転、空撮など
購読者だけがYouTubeで視聴できる
貴重なオリジナル映像

80分

https://youtu.be/G5CLMgJGI-k

上記QRコード、またはアドレスから
YouTubeにアクセスすることによって、
当書の購読者だけに限定公開している
オリジナル映像を視聴することができます。

Rolls-Royce Merlin

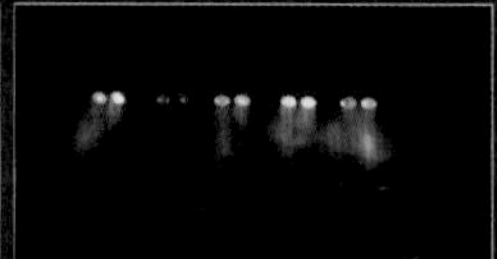
Daimler-Benz DB601/605

Bristol Centaurus

Wright R-1820
Cyclone 9

Nakajima Sakae
Type21

映像コンテンツ

Chapter1　ロールスロイス・マーリン
Chapter2　ダイムラーベンツDB601/605
Chapter3　ブリストル・セントーラス
Chapter4　ライトR-1820サイクロン9
［特典映像］　中島 栄発動機

Contents

a Prologue

きっかけは栄発動機との出逢い

それは見学に出かけた工場の片隅に、ひっそりと置かれていた。「これが零戦に載っていた栄か。意外に小さいんだな…」というのが、初めて見る栄発動機の第一印象であった。その工場は、私がいま所属するV．A．E．（カリフォルニア州で世界各国の大戦機エンジンをレストアする会社）である。この時、栄は分解が始まったところであった。

聞けば工場オーナーは、マニュアルを入手したものの、日本語表記に苦労しているとのことだった。興味本位で『取扱い説明書』の英訳を、気軽に請け負ったことが、大戦機エンジンのレストア業に携わるきっかけだった。そして今では、この栄21型発動機の再生が、私のライフ・ワークとなっている。

思い起こせば20数年前、お世話になった方が航空機関士として、先の大戦で東南アジア方面に従軍されていた。戦時中の四方山話を語っていただいていた時に、「お前さんたちは、星型エンジンのコンロッドが、どうなっているか知っとるか?」なんて問いかけられて、答えに窮したことを思い出す。まさか自分が、その星型エンジン、それも栄発動機の再生にかかわるとは、思いもよらなかった。これも不思議な縁があった、ということなのだろう。

それはさておき、大戦機エンジンのレストアは、エンジン本体が巨大ということ以外、作業は分解、洗浄、検査、部品調達、組み立て、試運転（テスト・ラン）と、自動車やモーター・サイクルのレストアを行うのと、そう大差はない。だが、決定的に違うのは、エンジンを実働させた時である。排気音、振動、メカニカル・ノイズ、プロペラが回転する迫力は、理屈なしに感動する。朽ち果てていたエンジンが、見事に再生され輝きを放つのだ。これが大戦機エンジンをレストアする、最大の魅力といっていい。当時の先端を究めた圧倒的存在感は、70数年を経ても、まったく色褪せてはいないのだ。

またバラエティに富んだ各国の大戦機エンジンは、国柄、思想をその存在自体が、明確に主張していると、私は思っている。こだわりすぎの傾向はあれど先進技術のドイツ、頑固一徹、ジョンブル魂を感じるイギリス、合理的美しさが際立つアメリカ、性能第一はわかるが、ちょっと野暮ったいソ連、そして技術者の意気込みを感じるが、繊細すぎる日本などなど…。それぞれの国の多くの人々が、心血を注いで育て上げた、現存する愛すべき"Vintage Engine"たちを、メカニックの目で見て、触って感じたことを、勝手気ままに書かせてもらったのが本書である。大戦機マニアはもとより、自動車ファン、モーター・サイクル・ファン、エンジンに興味のある方、機械好きの方など、多くの人に興味を持って、読んでいただけたら幸いである。

（佐藤雄一）

Profile

佐藤 雄一（さとう ゆういち）
Yuichi Sato

1967年　群馬県生まれ。機械好きが昂じて、1985年からモーター・サイクルのレース・メカニックとなり、日本とアメリカで20年以上にわたり活躍、選手権タイトルの獲得に貢献する。2008年から航空機エンジン・レストア業に携わり、現在に至る。世界各国の希少な大戦機エンジンを肌身で知り、整備を行っている唯一の日本人専門職。趣味は読書。猫派。本書ではエンジン項目の執筆・写真撮影・ビデオ撮影を担当する。

藤森 篤（ふじもり あつし）
Atsushi "Fred" Fujimori

1954年 長野県生まれ。日本大学理工学部航空宇宙工学専修コースで、零戦設計主務者・堀越二郎博士らに学び卒業後、航空書籍編集に携わり月刊コンバット★マガジン編集長を経て独立。以来30余年間、頻繁に欧米を訪ね歩いて現存する飛行可能な第2次大戦機の取材・撮影を、趣味と仕事を兼ねたライフワークとする。本書では航空機項目の執筆・撮影と企画・構成全般を担当。著書は『現存米軍大戦機図鑑 I / II』『世界の傑作戦闘機Best5』『現存零戦アーカイブ』『零戦小隊』（枻出版社）など多数。

Chapter ▸▸ 01

Daimler-Benz DB601/605

ダイムラーベンツ DB601/605

Germany

Messerschmitt Bf 109E-4

メッサーシュミットBf109E-4

徹底的に贅肉を削ぎ落とし、獲物に飛びかかるような攻撃的なフォルムは、どう猛な大空の狩人である猛禽類を連想させる。全幅9.9mしかない鋭敏な平面型の主翼、極めて細く小柄な胴体が、格闘戦を避け一撃離脱に徹するBf109の性格を物語っている。

Reciprocating Engine

Daimler-Benz DB601/605

Chapter ▸▸ 01

欧州全土を席巻した大空の槍騎兵

Messerschmitt Bf 109E-4

ドイツ式合理主義を具現化した鋭角的で武骨なE型こそ、もっともBf109らしい型式といえるだろう。このE-4型は英本土侵攻作戦直前の1940年春に量産が始まった。

Daimler-Benz DB601/605

Chapter ▸▸ 01

胴体に主脚取付部を設けた独特の構造は生産性向上に寄与したが、トレッドが狭く離着陸時に事故が多発する原因となった。

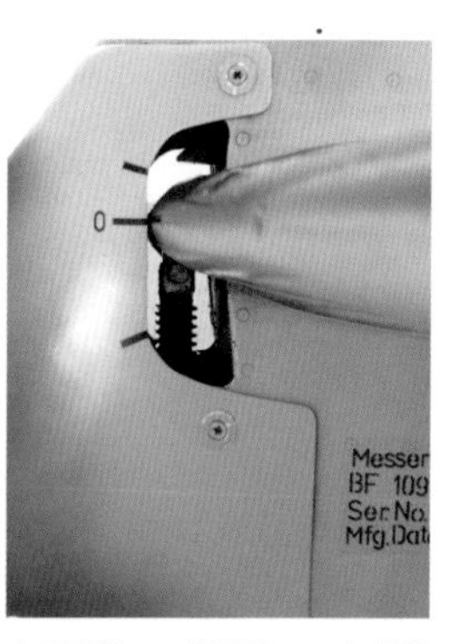

水平尾翼は一体構造で、左右翼断面形を変えて反動トルクを軽減する。トリム調整は-3度から+8度まで尾翼を全動して行う。

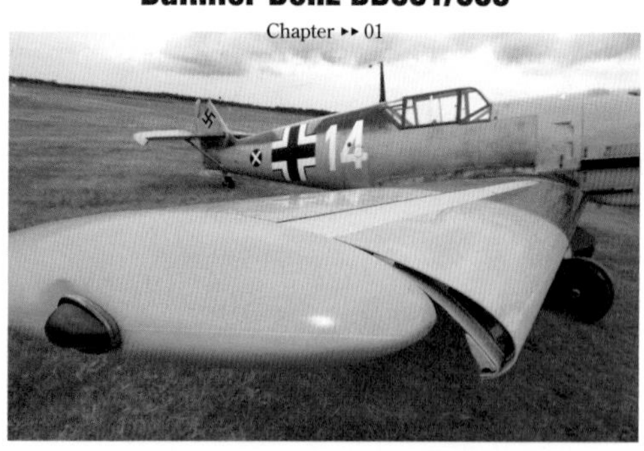

風圧を感知して自動的に展開/格納する両翼端の前縁スラットは、着陸や急旋回時の失速防止に絶大な効果を発揮する。静圧と動圧の圧力差を検知して滑り出す機構だ。

列国主力戦闘機がまだ複葉機だった1933年、ドイツ空軍省は、最高速度400㎞/h以上の革新的な戦闘機開発に着手した。当時のバイエルン航空機製造会社は、軍用機を設計した経験はなかったが、Bf108という優秀な金属単葉スポーツ機の開発に成功を収め、空軍省はこの設計を新鋭戦闘機に転用することを思い立った。小型スポーツ機から受け継いだ、全幅わずか9・9mの鋭敏な平面型の主翼、極めて細く小柄な胴体は、図らずも格闘戦を避け一撃離脱に徹するBf109の性格を、決定づけることとなった。

さらにBf109は、随所に先進の航空技術が盛り込まれていた。主翼前縁に装備した自動スラットは、風圧を検知して展開/格納するため、着陸や急旋回時の失速防止に絶大な効果を発揮した。さらにエルロンも、フラップに連動して下がるドループ方式になっており、翼面荷重が高いBf109の着陸速度を抑制している。また一体構造の水平尾翼は、反動トルクを制御する左右非対称断面のうえ、全動式でトリム調整を行う、凝った構造になっている。なお胴体(エンジン架)に主脚取り付け部を設けた独特の構造は、生産性を高めると同時に慢性的な燃料不足を補うべく、鉄道輸送に頼るため導入された。ところが間隔が狭く主翼前方に突き出した主脚は、直進安定の発散を招き易く、離着陸時の事故が多発する原因となった。一説には損失機の実に40%が、離着陸時の事故関連とされるほどだ。

短距離制空思想で設計された操縦席は、驚くほど簡潔で狭苦しい。しかも寝そべる姿勢で着座し、風防はフレームが多いため視界は劣悪だ。

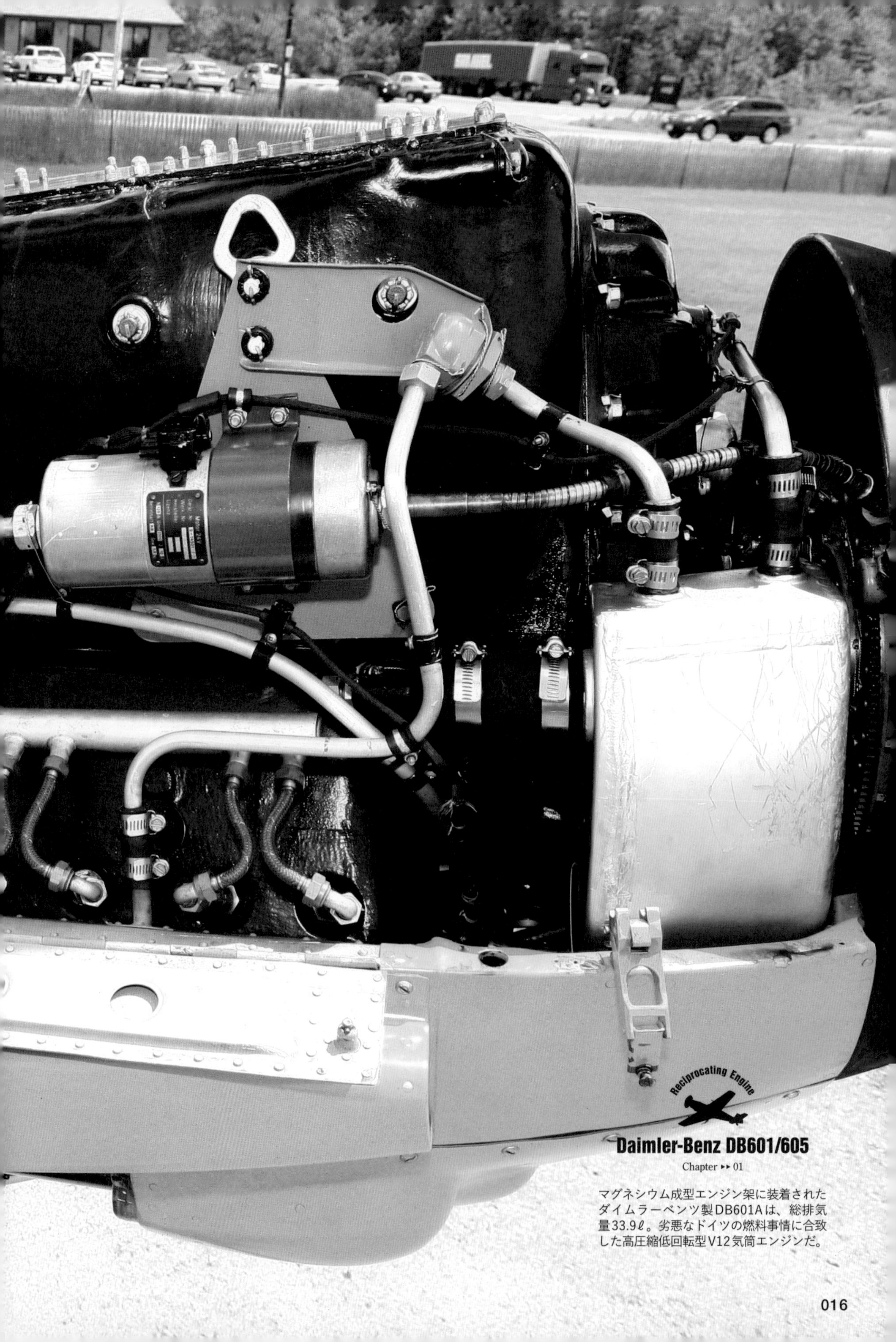

Daimler-Benz DB601/605

Chapter ▸▸ 01

マグネシウム成型エンジン架に装着されたダイムラーベンツ製DB601Aは、総排気量33.9ℓ。劣悪なドイツの燃料事情に合致した高圧縮低回転型V12気筒エンジンだ。

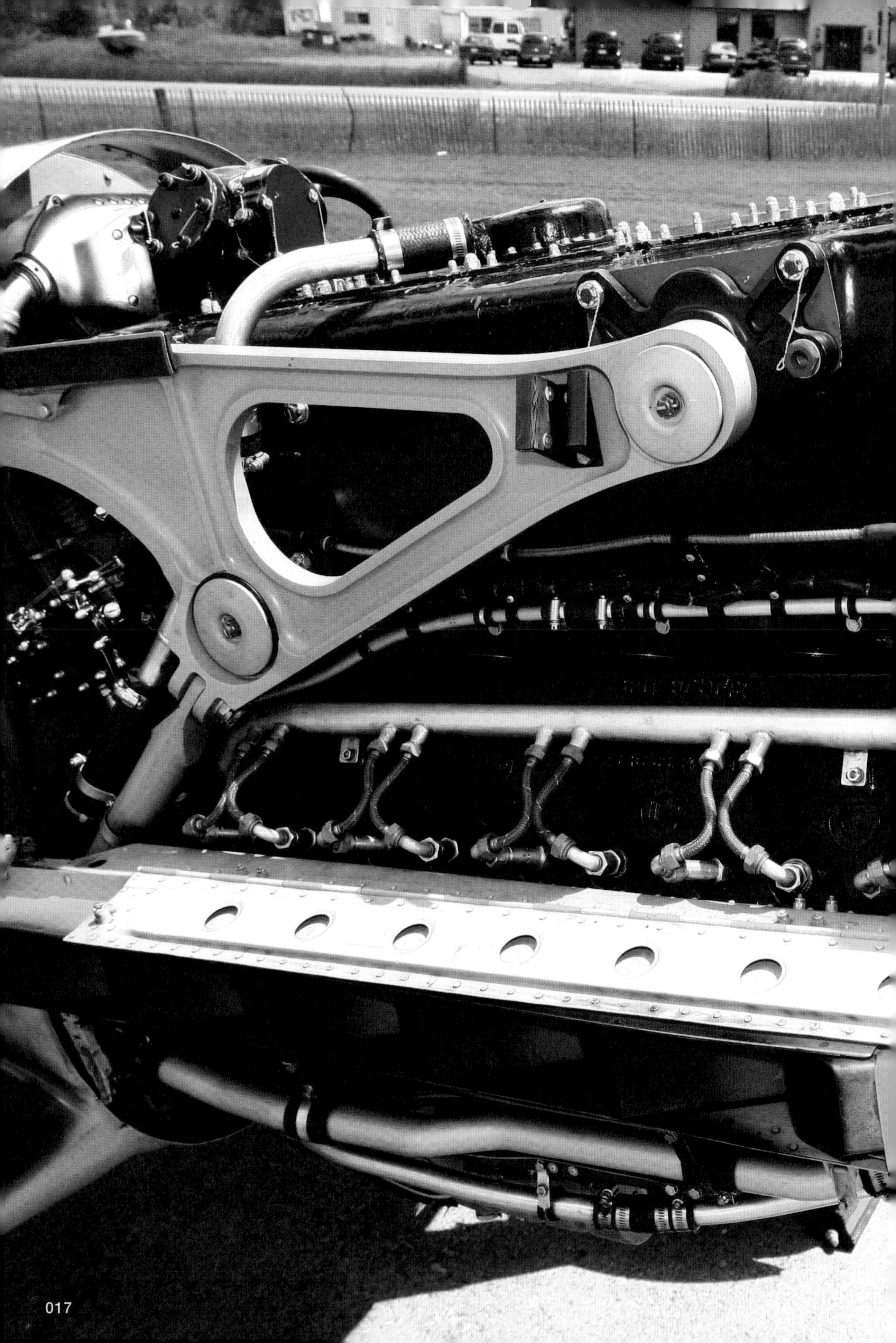

機軸20mm機関砲を搭載するため導入された倒立V型は、気筒配列が下向きにのため上部が平面になり前方視界が向上する。

オイル・クーラーはエンジン直下に効率よく配置。その前方に飛び出している銀色の円筒が、インジェクション・ポンプへガソリンを圧送する燃料ポンプだ。

主翼後縁に半埋め込み式で設置されたラジエーターは、空気抵抗低減とラム圧による推力効果の両方を狙った巧妙な設計だ。

Ｂｆ１０９Ｅ型が搭載するダイムラーベンツ製ＤＢ６０１は、同時代の最先端を極める先鋭的技術と高度な工作精度から誕生した。離昇出力１１００馬力は、際立った数値でこそないが、液冷倒立Ｖ型12気筒という、他に類を見ない気筒配列は、プロペラ・シャフトを通して大口径機関砲の射撃を実現。すなわち機軸と火力線を一致させることで、命中精度を高める『モーターカノン』を成立させたのだ。だが実際には、機関砲サイズや重心位置、振動問題などが山積して、さしもの技術大国ドイツでも、実戦投入できたのは次期Ｆ型からであった。また倒立Ｖ型は、気筒が下向きに配列されるため上部が平面となり、前方視界が向上する副次的メリットも生じる。

そしてＤＢ６０１の白眉は、各気筒にガソリンを直接噴射する燃料ポンプの装備だ。急降下などでマイナスＧがかかっても、燃料を安定供給できるのが、キャブレター方式に対する圧倒的な強味である。英本土侵攻作戦でＢｆ１０９は、宿敵スピットファイアに追撃されると、急降下で離脱を図った。スピットファイアが追撃すると、キャブレター方式のエンジンがマイナスＧで息つきを起こすため、Ｂｆ１０９は易々と振り切ることができたのだ。さらに機械式過給器（スーパーチャージャー）は１段１速式だが、流体カプリングで実質的には無段変速で効率よく機能する、先鋭的な技術も導入していた。ＤＢ６０１は、まさしくドイツ先進技術の結晶であった。

過給器は1段1速式だが、流体カプリングにより無段に変速する先進設計。なおインペラーの前に貼った透明ビニールは、展示用のホコリ除けだ。

Reciprocating Engine

Daimler-Benz DB601/605

Chapter ▸▸ 01

技術大国ドイツの英知を結集したDB601

機首右側面の角張った空気取り入れ口は、過給器と直結している。精巧な過給器が異物を吸い込まないように、フィルターを内蔵している。

スピンナーの大穴はプロペラシャフトを通して射撃する20㎜機関砲口。だが振動などの問題によりE型では搭載が見送られた。

Specifications [**Messerschmitt Bf109E-3**]

全長：	8.80m	実用上昇限度：	10,300m
翼幅：	9.90m	航続距離：	665㎞
全高：	2.60m	エンジン：	ダイムラーベンツDB601A
翼面積：	16.35㎡		液冷倒立V型12気筒
機体重量：	1,865㎏		離昇出力1,100hp
最大離陸重量：	2,610㎏	武装：	ラインメタルMG17 7.92㎜機関銃×2挺
最大速度：	555㎞/h（6,000m）		（各1,000発）
巡航速度：	375㎞/h（4,000m）		マウザーMG FF 20㎜機関砲×2挺
上昇力：	6,000mまで6分18秒		（各60発）

Thorough Dissection

ダイムラーベンツ DB601/DB605 徹底解剖

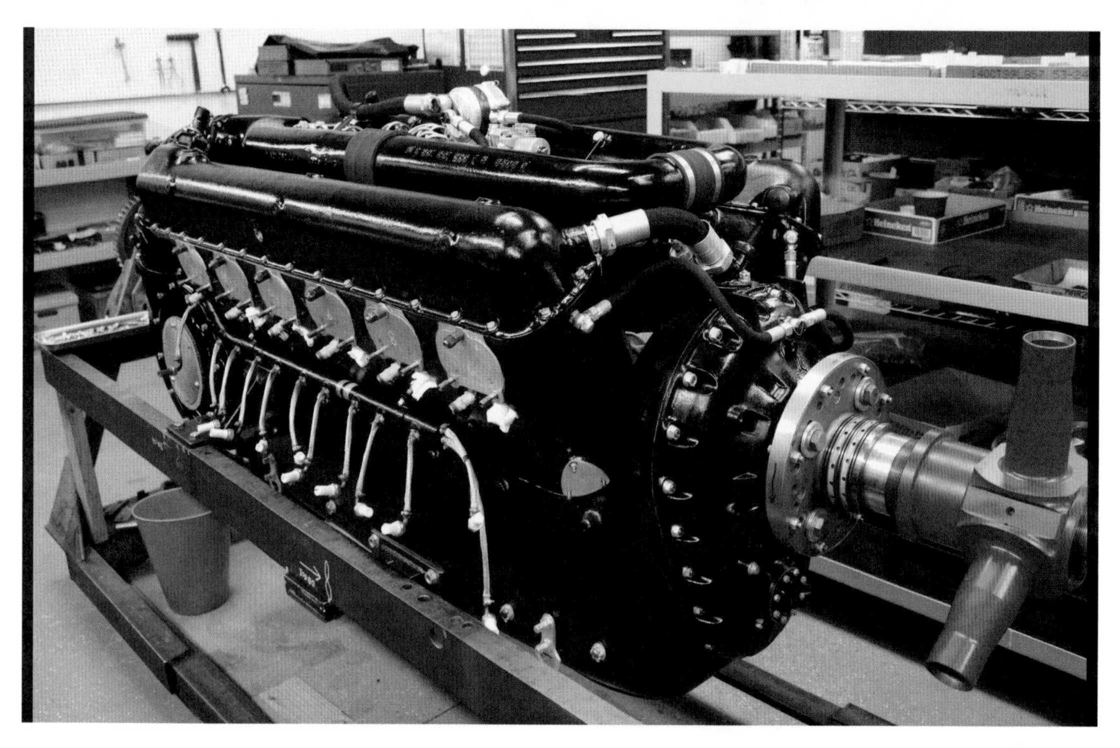

Daimler-Benz DB601

Specifications

液冷倒立60度V型12気筒		全長：	1,722㎜
排気量：	33.9ℓ	全幅：	705㎜
ボア×ストローク：	150×160㎜	乾燥重量：	610kg
圧縮比：	6.7：1	過給器：	遠心式1段（流体カップリングによる可変速）
減速比：	1：1.55	離昇出力：	1,050hp@2,400rpm

ＤＢ６０１およびＤＢ６０５を開発・生産したダイムラーベンツ社は、１９２６年にシュットガルトのダイムラー・モトーレン・ゲゼルシャフト社とベンツ社の合併により設立された。航空機用エンジンＤＢシリーズの開発は１９３０年代前半に始まり、最初のＤＢ６００は主に爆撃機用として指定されていたため、戦闘機用として１９３５年に開発されたのがＤＢ６０１であり、メッサーシュミットＢｆ１０９などへ搭載された。大きな特長としてボッシュ製燃料直接噴射ポンプ、流体カップリングで作動するスーパーチャージャー、プロペラ軸を貫通して射撃する機関砲、ローラー・ベアリングの多用などが挙げられる。イタリアのフィアット社や日本の川崎航空機、愛知航空機においてもライセンス生産された。とはいえ大戦前半は列国に対して優位であったが、最終的に英国ロールスロイス・マーリンと同等のレベルまで、発展することはできなかった。

ＤＢ６０５は、ＤＢ６０１の後継エンジンとして１９４２年以降、Ｂｆ１０９とＢｆ１１０に搭載された。性能と整備性向上のため、各部のレイアウト変更や新設計のインテーク・パイプおよび燃料制御系パーツの採用、新しいシリンダー・ブロックを使いボアを４㎜拡大、カム・プロフィールの変更、圧縮比アップなどを行うことで、大幅に出力を向上させたエンジンである。しかしドイツ空軍は、英国マーリン・エンジンに対して出力的に劣っているという懸念から、重量は増すがＭＷ50（メ

Daimler-Benz DB601/605

Chapter ▸▸ 01

Daimler-Benz DB605

Specifications

液冷倒立60度V型12気筒		全長：	2,303mm
排気量：	35.7ℓ	全幅：	705mm
ボア×ストローク：	154×160mm	乾燥重量：	756kg
圧縮比：	7.5：1（右バンク）／7.3：1（左バンク）	過給器：	遠心式1段（流体カップリングによる可変速）
減速比：	1：1.1685	離昇出力：	1,450hp@2,800rpm／1,775hp（MW50 使用時）

タノール50・水50噴射）やGM－1システムを追加して、さらなるパワーアップを計った。外観的にはDB601とほとんど変わらないように見えるが、実はまったくの別物エンジンである。大戦終了までにDBシリーズは、総計で実に70000余基生産された。まさしくドイツ空軍の屋台骨を最後まで支えて、戦い抜いたエンジンである。

両エンジンとも外観は、非常にすっきりコンパクトにまとまっており、黒色塗装と相まって精悍で非常に美しいエンジンだと思う。エンジンは見ての通り配管、マウントボスなどがすっきりまとまっていて、整備性は良好な方である。機体に搭載されてからのスパーク・プラグ交換、マグネトーの調整などはやりやすい。ただしシリンダーのVバンク間には細い配管や小部品が集中しており、工具類のアクセスは決して良好とはいえない。エンジン内部の整備は、コンロッド周辺のベアリングの組み立て、シリンダー・ブロックの締め付けなど手間が掛かる箇所もあるが、組み立ては勘所さえ押さえれば、空冷星型のBMW801より容易であると思う。また個々の部品は、当時の工作技術、製造工法などドイツが誇る最高水準の工業力が注ぎ込まれており、しっかり設計され高い精度で、美しく製造されているのがよくわかる。一方で生産性は悪かったと聞くが、性能を追及した結果であろう。このようなエンジンを、開発・生産したという事実に、ドイツ人の気質を垣間見ることができる。そして私が初めて

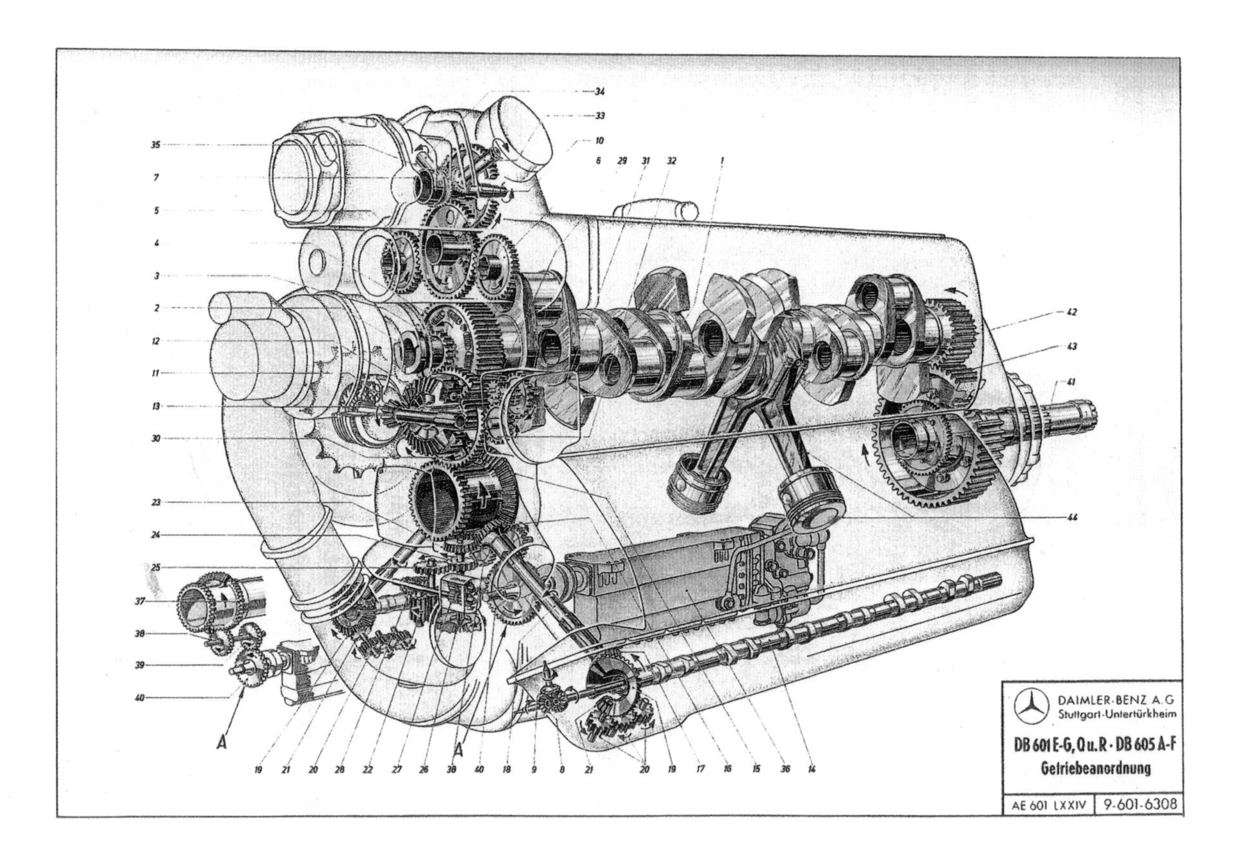

基本内部構造

エンジンVバンク間を通して、機関砲を射撃する構造が理解できる。ドライブ・トレインを構成するギヤ類は、驚くほど簡潔で整然とデザインされている。エンジン左側に過給機を配置しているのも、後部がすっきりしている一因であろう。このドライブ・トレインケース（アクセサリー・ケース）は、コンパクトにまとまっているため、組み立て順番は正確に行わなければならない。順番を間違うとスペースが確保できず、ギヤが入れられなくなったりするからだ。まるでパズルのようである。中央に見える長方形の箱が、インジェクション・ポンプ本体である。しかし普通に考えれば、倒立エンジンだと燃焼室にオイルが下がってこないか心配になる。ライバルのロールスロイス社は、倒立エンジンの開発を途中で諦めて、マーリンで大成功を収めた史実が非常に興味深い。（エンジン・ハンドブックより）

担当した液冷エンジンが、なんとＤＢ６０１であった。空冷星型と違って、意外に親しみやすいというのが、第一印象である。クランク・シャフトやコンロッドの構成などが、自動車のエンジン（パーツの大きさは、大分違うけれども）に似通っているからだろう。しかし航空機用エンジンなので、独特のパーツ構成をしている箇所（特にプロペラシャフト周辺）もあり、非常に興味深く取り組むことができた。またＤＢ６０１、ＤＢ６０５と同系列エンジンを、連続してレストアできたのは、液冷エンジンではマーリン系列以外にはＤＢシリーズしかなく、幸運に恵まれたといえる。時系列的に設計変更された箇所が比較できるうえ、エンジニアの思考、取り組む方向性などが見えて、実に興味深いのだ。しかしメカニック側からすると、組み立てにくくなる箇所も散見されるが、その辺りを無視している（？）ところは、ドイツ的技術偏重主義なのだろうか……と疑問に思ったりもする。いつの時代も、機能と組み立て易さを両立させるのは、難しい問題ということなのであろう。

敗戦国のエンジンであり、戦後は徹底的に破壊・破棄が行われたため、現在でも残っているエンジンは、非常に数が少ない。パーツ類の入手は、ＢＭＷ８０１よりは容易ではあるが、マグネシウム製パーツを採用している箇所の腐食が酷く、良好なものはごく少ない。しかもシリーズごとに、設計変更を行っている箇所が多く、互換性が低いため、パーツ類のやりくりには苦労

DB605
ベンチ試運転

2014年4月、テストランを実施した。ロールスロイス・マーリンよりメカノイズが少なく、スムースな印象を受けた。当社V.A.E.でDBシリーズのテストランは、実に15年ぶりとなった。通常このテスト・ベンチはマーリン用なので、配管類の改造が必要となり、エンジン架装に時間がかかってしまった。下方に見えるのは、P-51マスタング用のラジエター＆オイルクーラーで、冷却用水噴射パイプも付属している。またプロペラ・ブレードはVDM製がドイツ軍機のスタンダードなので、オリジナルに準じた仕様で新造した。なおエキゾースト・パイプはテスト専用で、実機とは形状と材質が異なっている。

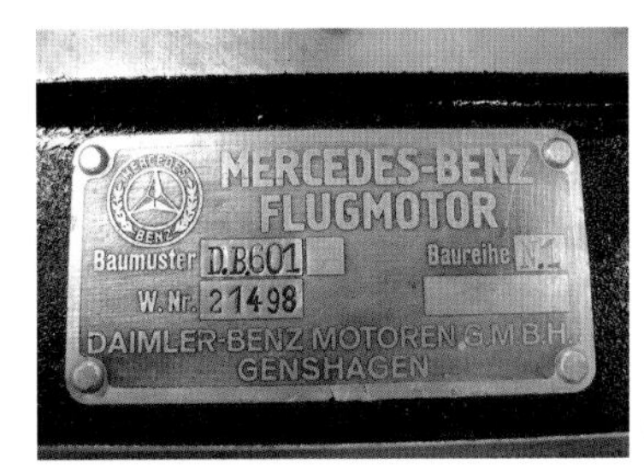

本体に鋲止めされた銘板。製造番号が欺瞞数字でなければ、第二次大戦初期から中期頃にかけて生産されたDB601だと推定される。

Daimler-Benz DB601/605

Chapter ▸▸ 01

させられる。とりわけ燃料系パーツは、精密加工されているうえ腐食が激しい場合が多く、オリジナル・パーツをアレンジするのが大変である。そんな現状で、当社V．A．E．に持ち込まれたDB601、DB605は、稀に見る極上コンディションであった。

そこで興味深いエピソードを、ひとつ披露しよう。エンジンを組み立てるのには当然、ボルトやナットが必要になることはいうまでもない。だが、DBシリーズに使用されている六角ボルト頭の寸法は、BMWも含めて5㎜、7㎜、9㎜、11㎜、13㎜が多い（当時のスタンダードなのかもしれないが）のである。現代のエンジンにも、ないわけではないが通常、自動車やオートバイのエンジンに使われるボルトは、6㎜、8㎜、10㎜、12㎜など、偶数径が多用されているため、初めて触れた時には少々戸惑った。例えばある部品を取り付ける場合に、M6ボルトが6本必要な箇所があるとしよう。ところがDBシリーズでは、2本の頭寸法が9㎜で、他の4本は8㎜になっていたりするのだ。ただの設定ミスなのだろうか？ 加工ミスか？ これでは工具を持ち換える必要が生じるし、ましてや組み立て、整備では混乱が生じる。さらにM6ボルトでも、ピッチ1と0・75といった具合に、加工を使い分けている箇所さえある。この理由を考えてみたが、いまだこれといった回答に辿り着いていない。これもドイツ的こだわり？ ということで、いまは自分を納得させている次第である。

Daimler-Benz DB601/605

Chapter ▸▸ 01

Piston

ピストン

DB605ピストン

コンプレッション・ハイトは57㎜で、DB601のピストンと同一。重量も約1,800gで同じ。材質はシリコン含有量の多いアルミニウムだ。DB605用はボア径が4㎜拡大した分、スカート長を11㎜短縮することで重量を相殺している。シリンダー・ボア径に対して、摩耗時のピストン・サイズ選択は、当時4種を揃えていた。またDB605のピストンは、頂面を皿状にして、縁を大きく面取りしている。これは燃焼室容積を調整するためと思われる。ピストンとシリンダー・ボアのクリアランスは、限界値が0.48㎜。クリアランスが0.43㎜になってから、運転200時間までOKとなっている。

DB601ピストン

DB605ピストン側面

ピストン・リングの仕様は、径が異なるだけでDB601も基本は同じ。オイル・リング溝のオイル孔が、DB605では格段に増えているのは、ボアが拡大した影響であろうか？　オリジナルの新品ピストン・リングは入手できないので、分解したパーツから採寸して、新規に製作する。

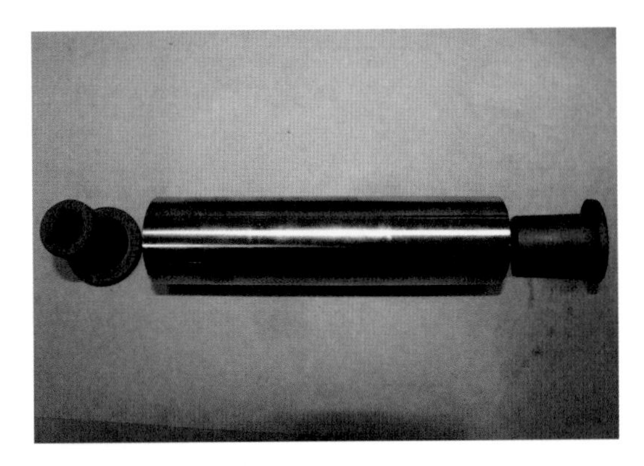

ピストンピン

BMW801と同じくピンをリテーナーで押さえるタイプだが、ピン内部にリテーナー端を入れ込む仕様となっている。またピストンピンは、ピンボスを温めて組み込まなければならない。

ピストン裏側

裏面には補強リブが配置されている。BMW801用ピストンとは異なり、機械加工が多く施されている。ピンへのオイル給油孔が4ヵ所見える。意外にも造作は雑な印象である。

Daimler-Benz DB601/605

Chapter ▸▸ 01

Poppet Valve Unit

吸排気バルブ機構

DB601 シリンダー・ヘッド

シングル・カムのローラー・ロッカー・アーム方式。基本構成はDB601、DB605とも同じである。手前側が吸気、奥側が排気となる。吸気ポートの表面は、あまりきれいな仕上がりではなく、形も整っておらず、手作業で修正されている。まさか「過給で空気を押し込むからこれで問題ない」という、乱暴な考えではないと思うが、ドイツ製としては意外な感じがする。バルブ・クリアランスは、吸気側が0.3㎜、排気側は0.6㎜。タペット上部がボール状で、自在に動くようになっているのだが、固着している場合も多い。再使用には注意が必要だ。

バルブ系構成パーツ

基本構成はDB601、DB605ともに同じ。バルブ径は吸気側55㎜、排気側52㎜、バルブ・ステム径は吸気側14㎜、排気側14㎜（DB605は16㎜）となっている。DB605の排気バルブ・ステム径が太いのは、放熱促進のためであろう。どちらも冷却用にナトリウムが封入されている。バルブ・スプリングは、吸排気共通だ。ただしDB605の方が、設定荷重は高い。

クランク・ケースに組み込まれたシリンダー・アッシー

組み立て後は、このような状態になる。こちらはエンジン左バンクで、左側すなわち前方が7番気筒だ。現在の感覚で見ると、排気効率が高いポート形状とは思えないが、これが当時の航空機用エンジンの先端デザインなのかもしれない。

DB601カム・シャフト

レシプロエンジンのパワーアップの要、カム・シャフトの山形状は、DB601とDB605ではご覧の通り、まったく異なっている。DB601のバルブ・リフト量は12.5㎜。それに対してDB605は、13.6㎜となっている。DB601のカム・タイミングは、1番気筒で排気の開きをBBDC（下死点前）53°に、DB605は同67°にセットする。カム・タイミングがずれていた場合、マニュアルに指示されたチャートを用いて変更する。

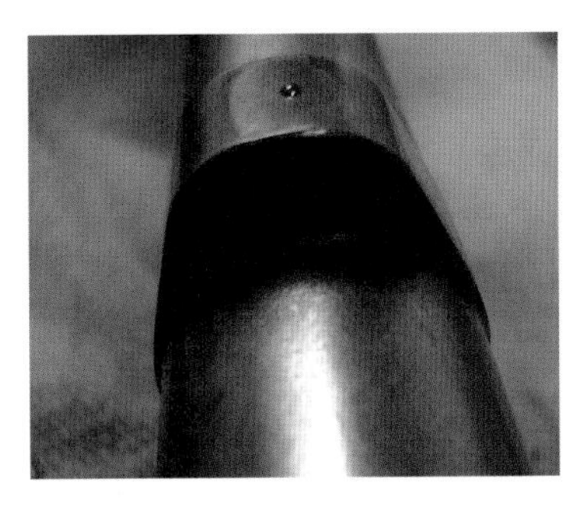

DB605カム・シャフト

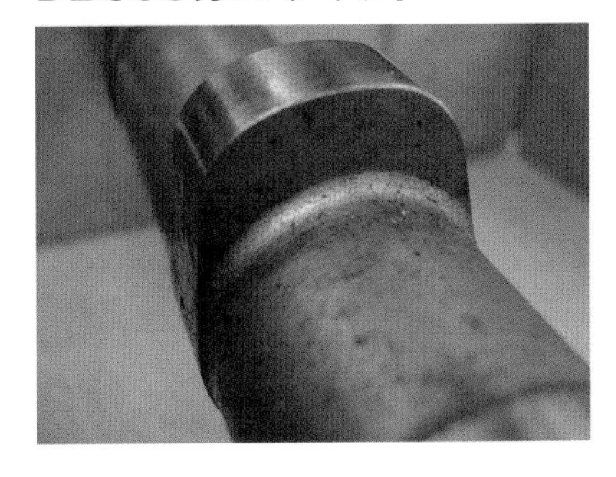

Cylinder Unit

シリンダー・ユニット

シリンダー・ヘッド

一体鋳造品のため部品点数は少なくなるが、重量は増える傾向にあるうえ、燃焼室の加工も難しくなるのではないかと思う。その燃焼室は、流入した空気が噴射されたガソリンを巻き込むようにして、スパーク・プラグに達するようデザインされている。排気ポート下側のくぼみには、スパーク・プラグの取り付け孔が見える。スパーク・プラグは一箇所に集中配置されているので、整備性は良好だ。

シリンダー取り付けナット部

ここがクランク・ケースに挿入されて、エンジン上部より特殊工具でリング状ナットを締め付けて固定される。シールには薄いプレートとラバー・リングが取り付けられる。DB605はシリンダーライナーの厚みが、わずか2.7㎜ほどしかなく、歪みが心配されそうな際どい値だと思われるが、現実に初期のDB605では、焼き付きが多かったと聞く。しかし開発が進むにつれて、この問題は解決されたようである。

ピストンとシリンダーの取り付け

マニュアルではクランク・ケースを水平（ピストンを地面と平行にする）にして、シリンダーを挿入すると指示されているが、それは当時の治具・工具が揃っていての話し。今回のレストアでは作業性を考えて、シリンダーを垂直方向から挿入することにした。2人が前後シリンダーを保持して、1人が中央でシリンダーをコントロールしながら、静かに降ろしていく。3人の呼吸を合わせることがポイントだ。バルブ系パーツはすでに組み込まれていて、バルブ・クリアランスも調整が済んでいる。できればカム・シャフトは、1番気筒をゼロリフト点にしておくほうが良い。シリンダー組み込み後、すぐにカム・タイミングを計る作業ができるからだ。

カム・シャフト駆動部

中央の大きいギヤが、カム・ドリブン・ギヤ。バルブ・タイミングが合っていなかった場合、ドライブ側、ドリブン側の組み立て位置を変えることにより、タイミング変更ができる。その組わせは10通りになる。

シリンダー締め付け特殊工具

エンジン上方よりシリンダー端を見た状態。リング状ナット（外周にギヤが切ってある）を、クランク・ケースに開いた孔に特殊工具を装着して、締め上げてゆく。2人組みで同時に特殊工具を左回転（リング状ナットは右ネジ）させて締めてゆく。工具の入る空間は、クランク・シャフト位置で制限されるため、12気筒全部を終了させるのには、かなりの時間を要する。ちなみに締め付けトルクは、27kgf.mと規定されている。

リング状ナットの締め付け作業

シリンダーを固定するリング状ナットの締め込みは、この状態で行う。倒立エンジンなので、これが正規の状態である。2人組で呼吸をあわせて、同一トルクがかかるようにレンチを操作していくことが肝要で、シリンダー・ブロックの固定は、DBエンジンならではのコツが必要な箇所である。

Daimler-Benz DB601/605

Chapter ▸▸ 01

Connecting Rod

コンロッド

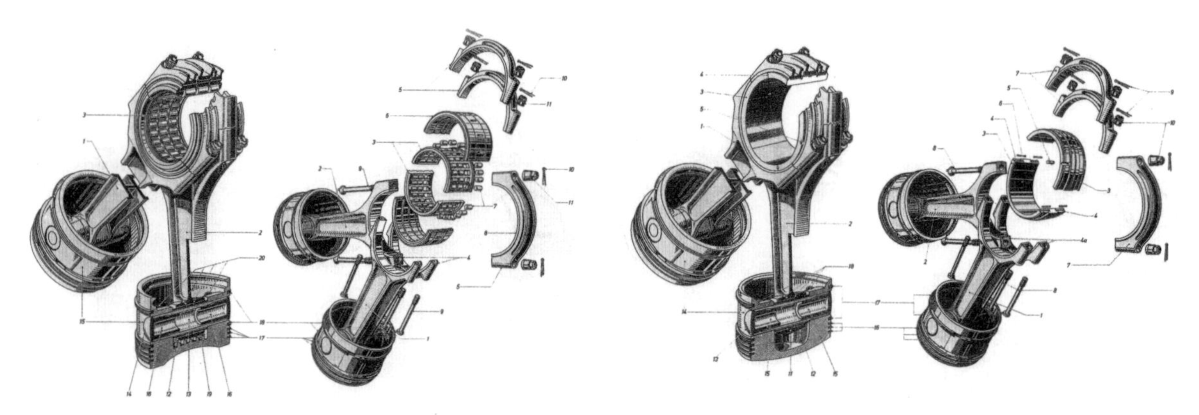

コンロッドとベアリング、ピストン

DB601とDB605の大きな違いが、クランク・ピン部の構造にある。ローラー・ベアリングとプレーン・ベアリングの違いだ。ローラー・ベアリングは、個人的にその精緻な作りと美しさに心惹かれるが、戦時における大量生産に向いていたのか、疑問が残るところだ。しかしながらその製品には、ダイムラーベンツの企業体質が明確に反映されている。(エンジン・ハンドブックより)

DB601フォーク・コンロッド

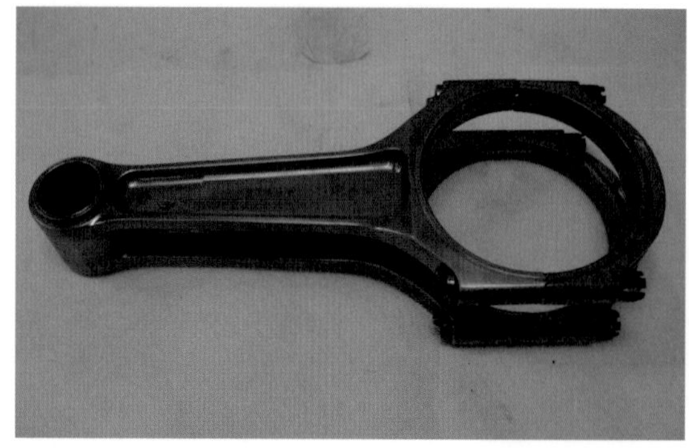

DB601インナー・コンロッド

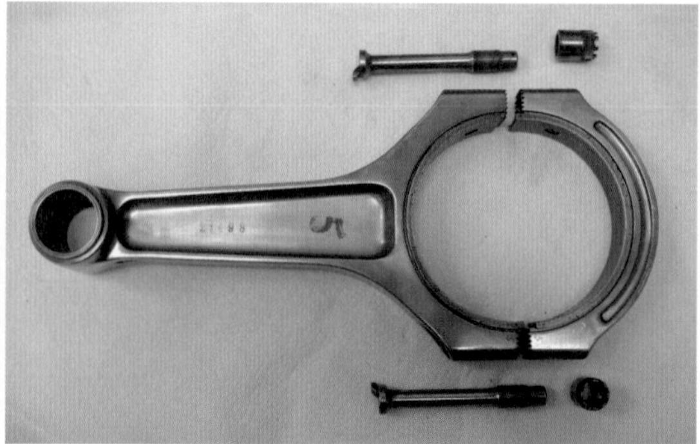

右/プレーン・ベアリングが、ボルトで本体に締め付けられている。コンロッド本体表面は、美しい鏡面仕上げだ。左/エンジン全長を押さえるため、左右シリンダーのオフセットが出ないよう、インナー・コンロッドをはさむ形で、クランクピンに結合するため、このような形状になっている。当時の航空機用V型エンジンの一般的デザインであるがユモ、マーリンなど各エンジンごと微妙に形状が違っていて、比較すると興味深い。

コンロッド大端部用ボルト&ナット

ネジサイズはM14×1.25。ナットの頭は特殊形なので、専用工具が必要になる。締め付けトルクは7.6kg f.m前後で、ネジの伸び量を管理をする。ボルト端の小孔には、ナット緩み止めピンが入る。これはインナー・ロッド用である。

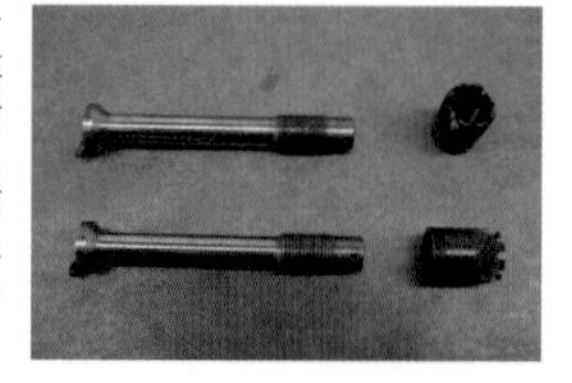

コンロッド小端部

角部にわずかにR形状をつけて、滑らかにラインをつなぎ磨き上げることで、応力集中を避けている。鋭角部や極小の傷が、破壊につながるからだ。またオイル給油孔は特に注意が必要で、加工痕をきれいに排除してある。

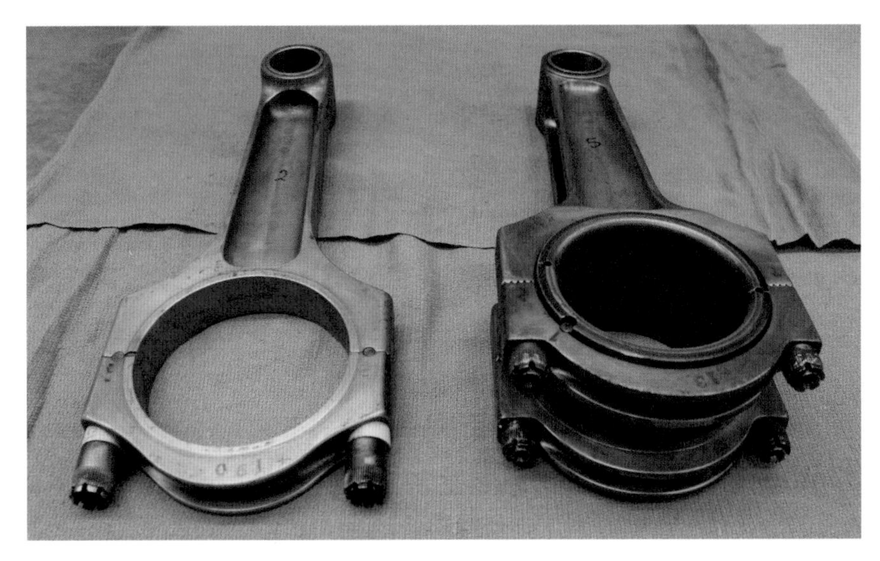

DB605 インナー・コンロッドと フォーク・コンロッド

クランクピン・ベアリングからプレーン・ベアリングへ変更になったため、大端部の周辺形状が設計変更されている。特にフォーク・コンロッド側キャップは、大幅に設計変更されたのが見てとれる。DB601に比べて重厚感があり、ソリッドな印象だ。くすんで見えるのは防錆剤のためで、表面はピカピカに磨き上げられている。

DB601クランクピン・ローラー・ベアリング

光り輝くローラー・ベアリング構成部品。ローラーは72個。インナー・コンロッド大端部は、プレーン・ベアリングを介して外周部を滑り、3列のローラー・ベアリングは、フォーク・コンロッドに組み付けられる。ローラー・ベアリングは起動トルクが小さいため、エンジン始動において有利に働くと考えられる。ケージ・ハウジングの合わせ面が、波形状になっている点に注目！　手間のかかった加工であるが、運転時の変形を抑えることに寄与する。また合わせ面がしっかりと食いついてくれるので、組み立て易いメリットも生まれる。

DB605クランクピン・ベアリング

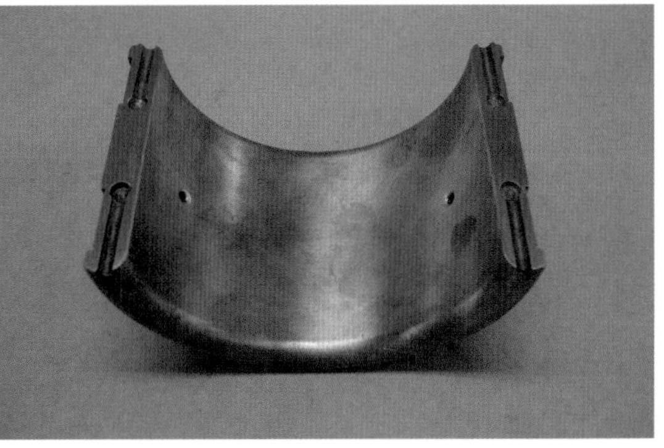

ローラー・ベアリングのケージ生産が追いつかず、後継機DB605ではクランクピン・ベアリングからプレーン・タイプへ変更された。本格的な高負荷ベアリングではないようで、かなりの厚みのあるベアリングだ。しかしプレーン・ベアリングの方が、軽量コンパクトにはまとまるが後のDB603では、再びローラー・ベアリングに戻された。やはりクランクピンの潤滑が、厳しいためであろうか？　現在の薄い高負荷ベアリングを使えば、ローラー・ベアリングは必要ないかもしれない…などと想像を巡らすのも楽しい。位置決めピンの溝が、4箇所加工してあるのが見られる。またベアリング横の円筒溝には、フォーク・コンロッド・キャップを固定するピンが入る。

Crank Shaft

クランク・シャフト

1

1
クランク・シャフト

クランク・ピン径は86㎜、メイン・ジャーナル径は100㎜。マーリンに比べると、カウンター・ウエイトはかなりゴツイ形状。ピン部とメイン・ジャーナルのオーバーラップは、ほとんどない。オイル孔は面取りがなされ、ピン、ジャーナルと共にきれいに磨かれている。右がエンジン前方プロペラ・シャフト側になる。当時、日本でライセンス生産したクランクピンは、表面の仕上げが劣悪で、焼き付きが多発したと聞く。日本が既存品の量産に四苦八苦していた時代、ドイツはこういった大物パーツを安定して大量生産できたうえ、パワーアップまで果たしていたのだ。

2
クランク・シャフトの組み込み

クランク・シャフト中央を、1点で吊るのがポイント。カウンター・ウエイトも決まった位置でないと、収まらないほどクランク・ケース幅には余裕がない。限界まで突き詰めたDBシリーズのスリムさが、よく理解できる点であろう。クランク・ケースには過大なストレスがかかるので、内部表面はきれいに仕上げられており、柱の端部はR形状処理して応力が集中しないように加工されている。とはいえ外表面の鋳肌は、少し荒い印象。下に見える大きな孔が、機関砲弾が通る孔である。

2

1

2

2

DB605メイン・ジャーナル・ハウジング

アンカー・ボルトは、ハウジング中央を貫通するように変更されたため、残念ながら写真では見ることができない。より安定してケース剛性を確保することが目的である。おそらくケース本体の加工も、いくらか楽になったはずだ。ハウジングの作りも、多少変更が加えられた。ケース内部やハウジング表面の仕上げが、粗雑になっているのが、当時の切迫した戦況を物語っている。

1

DB601メイン・ジャーナル・ハウジング

各メイン・ジャーナルは、スタッド・ボルト4本とナットで取り付けられる。ハウジングを貫通しているのはアンカー・ボルト。運転中のクランク・ケース変形を押さえ、剛性を確保する。アンカー・ボルトは伸び量で管理され、その量と締め付け順番は、厳密に指示されている。右側伸び0.37㎜、左側伸び0.13㎜だ。

Nose Case
ノーズ・ケース

2

1

1 DB605ノーズ・ケース裏側
2 DB605ノーズ・ケース

右／右にプロペラ・シャフトの推力受けベアリングが、左にクランク・シャフト端ベアリング受けが見える。左／メルセデスベンツ・スリー・ポインテッド・スターのエンブレムが珍しい。たいがいは剥ぎ取られて紛失しているからだ。手前ケースの下に見えるのが、クランク・シャフトからのアウトプット・ギヤ。プロペラ・シャフト・エンドに見える細かいピッチのセレーションが、プロペラ・ハブ内で噛み合って、プロペラ・ピッチ・コントロール・ギヤを駆動する。そのコントロール機構は、BMW801と同じVDM製であるが、ケース側の駆動回転部分に小ローラー・ベアリングを、144個も使用するなど別設計となっている。

DB601 ノーズ・ケース

DB601のプロペラ・シャフトは、ご覧のように別体構造となっている。またプロペラ・ピッチ・コントロール機構が内部に組み込まれていないので、非常に小さくまとまっている。

Daimler-Benz DB601/605

Chapter ▸▸ 01

Super Charger

過給器

クラッチ機構

センター・シャフト中央より供給された高速のオイルは、放射状に飛び出し湾曲部で向きを変え、ハウジング・カバー(左)裏側にある羽根で仕切られた通路(部屋)に当たる。オイルはハウジング・カバーを高速回転させ、ハウジング本体側の同じ構造部と、推進力バランスをとっている。オイル量を変化させることにより、駆動力をゼロから直結(実際には多少の滑りが発生する)まで、コントロールすることができるのだ。

スーパーチャージャー・クラッチ構成部品

簡素にして精緻な加工が施されたパーツ群。DB605のスーパーチャージャーは、DB601と基本構成は同じだが、部品点数が減少して整備性が大幅に向上している。飛行高度に応じて流体カップリングのオイル量を調整し、スーパーチャージャーの回転数を制御することで、適正ブースト圧を得る優れたシステムである。左がインペラー側となるクラッチ・ハウジングで、中央のパーツにシャフトを圧入して内部に収める。右のパーツが、ハウジングのカバーになる。このカバー取り付けボルトは専用品で、ハウジングが高速回転するため、バランスが崩れないように0.1g単位で管理されている。またカバー取り付け位置も、指示されている。

インペラー

クラッチと直結するこのインペラー(羽根車)が、高速回転することで過給圧を高める。高々度は空気が薄くなるため、一定以上の馬力を維持しなければならない軍用機に、スーパーチャージャーは必須の装備である。

クラッチ完成状態

流体カップリングを応用する原理は、自動車のAT(オートマチック・トランスミッション)に近い。列国エンジンの多くが装備した1~2段2速式スーパーチャージャーは、高度に応じた手動切り替え式で、いうなればMT(マニュアル・ミッション)であった。

スーパーチャージャー・ケース

本体は一体鋳造成型品。手前に見えるのがブースト・コントロール・バルブ・フラップ。ブースト・コントロール・ユニットで、マニフォールド圧を検出し、油圧を介してロッドとリンクを作動させて、ブースト圧が適正に維持されるようにコントロール・バルブ・フラップが開閉する仕組みだ。上部の孔の開いた取り付け部には、スーパーチャージャー・クラッチのユニットが収まる。DB605はケース外径が30㎜ほど大型になった。また、それに伴いコントロールフラップ径も、117㎜から132㎜に拡大されている。

Accessory Case

アクセサリー・ケース

スーパーチャージャー・ケースが、スペースのほとんどを占める。スーパーチャージャーをエンジン側面に配置することで、大幅なコンパクト化を達成できたのだが、逆に出力向上を図る際のネックとなった。しかし構造は、実にシンプルそのもの。ロールスロイス・マーリンのスーパーチャージャー・システムが、複雑かつ大型であるのと対照的だ。

DB601 アクセサリー・ケース左側

DB605 アクセサリー・ケース

非常にコンパクトなデザインで、補機のほとんどが集中する。左からマグネトーの取り付け部、その右2つの取り付け部は、機種によりバキューム・ポンプなどを装備するオプション用。センターにスターター・モーター、右端の大穴は機関砲取り付け基部、手前にスーパーチャージャー・ケース装着部が見える。その下のロッドは、点火時期をコントロールするシャフト、斜め方向に開いた孔（反対面にもある）は、カム・シャフト・ドライブのアウトプットだ。

DB601 アクセサリー・ケース右側

いささか雑然とした印象を受けるアクセサリー・ケース周辺。空冷星型と比べてエンジン後部の配管が入り組むのは、液冷エンジンの特質でもある。（空冷星型でもBMW801は、例外的に雑然としている）この状態はメンテナンス・スタンドに架装しているため、天地が逆になっている。手前に見えるのがブーストをコントロールするユニット。右側に見えるスーパーチャージャー・ケースから、インテーク・パイプへ極太ホースが連結されている。ロッドを介してフラップを閉じ、適正ブースト圧に調整する構造である。下方にみえるのがマグネトーだ。

Daimler-Benz DB601/605

Chapter ▸▸ 01

Injection Pump

インジェクション・ポンプ

1

ボッシュ製 PZ12HM100 インジェクション・ポンプ

当時の連合国側が追従できなかった（しなかった？）技術のひとつが、このインジェクション・ポンプである。シリンダー直接噴射の利点は、燃料の分配が各気筒で均一になる、燃料結氷の心配がない、低品質の燃料を使用しても、それなりの性能が維持できる、燃料消費率が良い、空戦時のマイナスG状態でも安定して運転できる、始動性がよく加速性能も優れている、始動に手間取った時の逆火がない（吸気ポート内に燃料が残らないため）など、枚挙にいとまがない。またコンパクトなため、エンジンへの搭載位置、ポンプ本体のデザイン（エンジン型式に合わせて、長方形でも円筒形でも製造可能）、エンジン補器周辺デザインの自由度も、あきらかにキャブレター方式と比較して有利である。

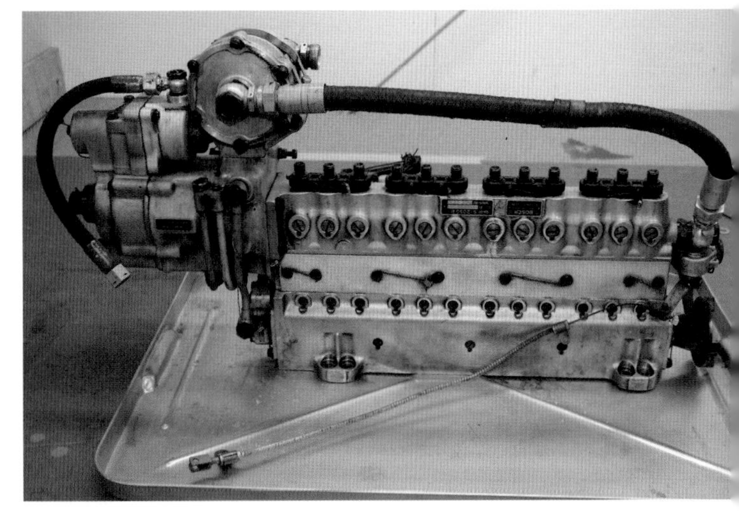

1

2

インジェクション・ポンプ・コントロール・カム

BMW801用が円筒状のポンプだったのに対して、DBシリーズはピストンが直列に配置されるので、このようなカム・シャフトになる。エンジン回転数の半分で駆動され、ピストンをストロークさせることで、燃料をシリンダー内へ噴射する。噴射順序は点火順序と同じだ。噴射タイミングは、DB601がATDC（上死点後）30°、DB605はATDC45°で噴射が開始される。

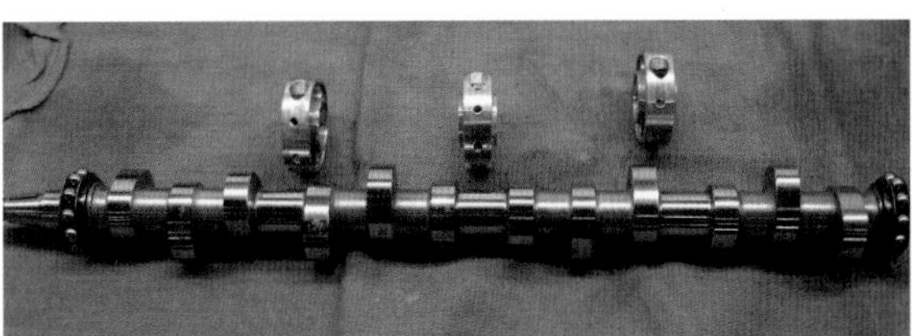

2

3

インジェクション・ポンプ構成部品

左がシリンダー、中央にピストン（燃料計量部）とリターン・スプリング、リテーナー、右がカム・リフターという構成。ピストンの螺旋状の溝がシリンダーの中で回転して、位置が変わることにより燃料が増減する仕組みである。単純で簡素な部品群であるが、メカニカル・インジェクション・ポンプの心臓部そのものだ。その仕上がり精度の高さと美しさには、驚くべきものがある。

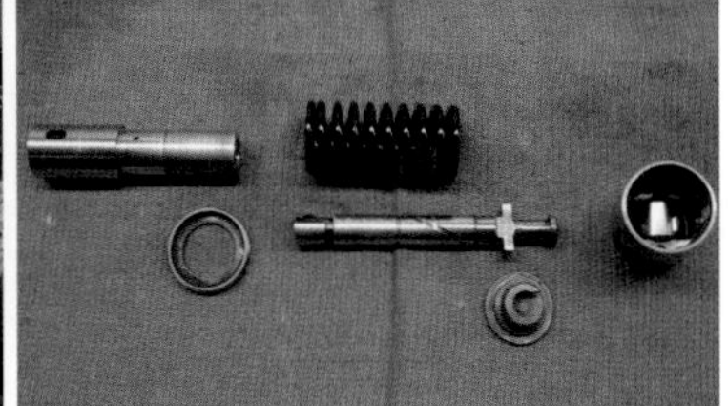

3

4

インジェクション・ポンプ・テスト

マニュアルでエンジン回転数に応じた燃料排出量が解っている（外気温とブースト圧も指定される）ので、ハンドルでカムシャフトを回して排出量を測定する。ポンプ本体中央部のアジャスターで、排出量を調整する。右回転で燃料増、左回転で燃料減となる。

4

インジェクション・ノズル

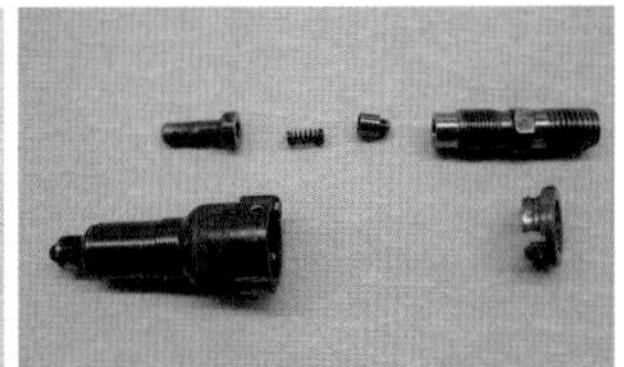

BMW801のノズルと違って、実に単純な構成である。ガソリンは噴霧状ではなく、先端の穴から直線的にシリンダー内に噴射される。ガソリンがシリンダー壁や燃焼室にぶつかって、吸気と混ざり合いスパーク・プラグ側に、混合気を形成する位置へ、巧に配置している。

液冷か？ 空冷か？ 戦闘機エンジンの優劣

『液冷王国』のドイツ空軍も、液冷のメッサーシュミットBf109（この機体は戦後のスペイン生産型で、ロールスロイス・マーリンを搭載）と空冷のフォッケウルフFw190を二本立てで運用した。ただし性能や生存率ではなく、生産性の問題であった。

初期のP-40Bが搭載したアリソンV-1710-33は、減速器部が細長いのが特徴。液冷V型12気筒エンジンは、断面積が小さいことが解る。とはいえP-40の無神経な冷却系の設計が、その長所を帳消しにしているが…。

F6Fヘルキャットが搭載するP&WR-2800ダブル・ワスプは、前面投影面積が大きい。だが構造的には頑丈で、1～2気筒吹き飛んでも、回り続けることさえ珍しくなく、洋上作戦には生存率の高さが必須要項であった。

レシプロ戦闘機の絶対能力を決定付ける要素のひとつが、エンジン冷却方式にある。すなわり『液冷』か『空冷』だ。液冷エンジンは、ラジエーターで冷却した冷却液（主にエチレングリコール）を、循環させて冷却を行う。一方、空冷エンジンは文字通り、空気の流入出で冷却する。そして冷却方式の違いは、エンジン型式の違いでもある。実用レシプロ戦闘機のエンジンに限定すれば、液冷＝V型、空冷＝星型という図式が、ほぼ成り立つのだ。

まったく型式の異なるエンジンが、並行して運用される理由は、それぞれの長所と短所にある。端的にいえば、液冷V型は断面積が小さいため、高速・加速性能面で有利、前方視界が広い、整備性が良好、といった長所ある反面、構造的に脆弱、冷却系統が被弾に弱い、という短所を抱えている。片や空冷星型の長所と短所は、ほぼその逆になると考えていい。

必然的に戦闘機に関して、高速・加速性能を重要視し、格闘戦よりも一撃離脱戦法を好む欧州各国と米陸軍では、液冷V型エンジン機が主流派となった。片や信頼性と生存率を最重視する米海軍は、空冷星型エンジン機一本槍であった。すなわち一方が、決定的に勝っている訳ではないのだ。ただし気筒数を増やして、大馬力化が図れる発展性では、空冷星型に一日の長があり、ジェット時代を迎えても、しばらくは生き長らることができたのである。

ちなみに米陸海軍では、仕様がそのままエンジン型式となっている。例えばP-38ライトニングやP-40ウォーホークに採用されたアリソンV-1710は、V型で排気量1,710立方インチ（28,022cc）、F6FヘルキャットやF4Uコルセアが搭載したP&W R-2800ダブル・ワスプは、星型（Radial）で総排気量2,800立方インチ（45,884cc）を示しているのだ。

Chapter ▸▸ 02

BMW801

ビー・エム・ダブリュ 801

Germany

Focke-Wulf Fw190A-5

フォッケウルフ Fw190A-5

自らもパイロットであり、造詣が深いクルト・タンク博士が設計を手掛けただけに、外観は理詰めで実用性を突き詰めた機能美を湛えている。

BMW801

Chapter ▸▸ 02

優駿で屈強な第三帝国の戦馬

Focke-Wulf Fw190A-5

Fw190は翼面荷重が200kg／㎡を超える重戦闘機だが、操縦応答性が良好で主脚間隔も充分に広いため、着陸は見ていてBf109のような危うさを感じさせない。

セミバブル形状の風防は、独空軍機としては異例に後方視界が良好。緊急時には爆薬で、後部風防を吹き飛ばし脱出する構造だ。

エンジン後方から胴体を急激に絞り込む技法は、液冷エンジンに匹敵する高速性能を狙うK・タンク博士の辣腕。また逆三角形の胴体断面形状により、良好な下方視界を確保している。

欧州全土に風雲急を告げる１９３５年、突如として再軍備を宣言したナチス・ドイツは、近い将来に起こるであろう大戦争に向けて、着々と軍備拡充を図っていた。とりわけ配備が始まったばかりの主力戦闘機メッサーシュミットＢｆ１０９は、列国戦闘機を圧倒する最新鋭機であった。とはいえ、高性能だが操縦の難しいＢｆ１０９は、離着陸時に事故が多発して、独空軍を困惑させていた。さらに搭載する液冷倒立V型12気筒ＤＢ６０１エンジンは、構造が複雑なため生産性が悪く、慢性的に供給不安定で、配備機数不足に悩まされていたのである。

そこで１９３８年に独空軍省は、当時まだ第二線級の航空機製造会社に過ぎなかったフォッケウルフ社に対して、ドイツでは非主流の空冷星型エンジンを搭載する、『補助戦闘機』の開発を命じた。技術者として有能なだけでなく、戦闘機の操縦桿を握るほどの技量を持つクルト・タンク博士は、自らの経験を反映して「Ｂｆ１０９のように、速さだけが取り柄のひ弱な競走馬ではなく、戦場を駆ける騎兵馬に仕立てる」をコンセプトに、たった12人の技術者を率いて開発に取り組んだ。そして設計開始からわずか1年足らずで、初飛行までこぎつけたＦｗ１９０試作機は、期待に違わぬ高性能を披露した。補助戦闘機として開発されながら、ほぼすべての面で主力戦闘機であるＢｆ１０９を凌駕するＦｗ１９０は、名実ともに独空軍の最強戦闘機であった。

操縦席は極めて合理的な配置だが、空冷エンジンのせいで前方視界はあまり良くない。また胴体を絞り込んだ弊害で、幅はかなり狭苦しい。

空軍の近代化を目指すドイツ空軍省は、戦闘機開発の最優先事項に『最大速度』を掲げた。必然的にエンジン選択は、前面投影面積が小さい液冷式に集束し、大戦前の独空軍は、まさに『液冷王国』の感があった。そこに切り込んだＢＭＷ８０１は、基本構造こそ保守的だが、随所にドイツの先進技術を盛り込んでいた。増速して冷却効果を高める強制冷却ファン、いかなる姿勢でも息つきをおこさず、素早いスロットル応答性を実現する燃料噴射装置、さらにスロットル操作に比例して燃料流量や混合比、点火時期、プロペラ・ピッチなどを統合的に自動制御する〝コマンド・ゲレーテ〟は、列国の追従を許さない革新的な技術であった。『液冷王国』で開花した唯一の戦闘機用空冷星型エンジンは、やはりただ者ではなかったのである。

とはいえＢＭＷ８０１の数少ない欠点のひとつが、1段2速式過給器に起因する、高度６０００ｍ以上での急激な性能低下であった。そこで液冷エンジンに換装する計画が立ち上がり、爆撃機用のユンカース製液冷倒立ユモ２１３ＡＶ型12気筒が選定された。１７７０馬力を発生するこのエンジンは、大型で重いが2段2速式過給器＋水メタノール噴射装置を装備し、優れた高々度性能を発揮したため、直ちにＤ－９型の名称で制式採用された。だが時すでに遅く、約７００機が生産されたに過ぎず、また熟練パイロットと燃料の欠乏によって、戦局を挽回するまでには至らなかった。

独創的な増速ファン冷却や自動制御を採り入れたBMW801

極上のコンディションに復元されたBMW801D。劣悪な環境の最前線でも整備性を維持するため、カウリングは二分割で下側に大きく開くように工夫されている。

世界でただ一基だけ稼動状態にあるBMW801Dは、始動時に下側気筒に溜まったオイルが燃焼して盛大な白煙を吹き出し、米国製星型エンジンとは明らかに異なる、低くて重々しい爆音を奏でる。

わずか2カ所のバックルを外すだけで、下部エンジン・カウリングが開く。極寒のロシア戦線から灼熱のアフリカ戦線まで、このように合理的な構造が稼働率を高めたことは、想像に難くない。

機首の環状オイル・タンク／オイル・クーラーをエンジン側から見る。強制冷却ファンが取り込んだ空気は、S字を描いてオイル・クーラーを通過し、再び後方に排出される凝った設計。

特徴的な12ブレードの強制冷却ファンは、出力軸回転数を1.72倍に増速して駆動する。そのため爆音に混じって、かすかに強制冷却ファンの「ヒューン」という風切り音が聴き取れる。

強制冷却ファンは、意外に仕上げが粗い一体鋳造成型品。本エンジン用のブレードは12枚だが、後の出力向上型では14枚に増強されている。

強制冷却ファン増速機構を、エンジン側から見る。上に飛び出したシャフトが減速器からの駆動力を1:1.72に増速して強制冷却ファンを高速回転させる。

非常に珍しいFw190空冷型と液冷型の2ショット。高々度性能を大幅に改善するため、機首を約60㎝延長して液冷エンジンに換装したD-13型（奥）は、型式頭文字にちなんで“ドーラ”の愛称が与えられた。

Specifications ［ **Focke-Wulf Fw190A-8** ］

全長：	8.95m	実用上昇限度：	11,410m
翼幅：	10.50m	航続距離：	800km
全高：	3.96m	エンジン：	BMW801D2
翼面積：	18.30㎡		空冷星型複列14気筒
機体重量：	3,490kg		最大出力1,700hp
全備重量：	4,391kg	武装	13㎜機関銃×2挺（各475発）
最大速度：	656㎞/h（4,800m）		20㎜機関砲×4門
上昇率：	789m/min		（翼内各250発/翼下各140発）

BMW801
徹底解剖

1

BMW801

Specifications

空冷星型複列14気筒		過給形式：	遠心式1段2速
排気量：	41.8ℓ	減速比：	0.542：1
ボア×ストローク：	156×156㎜	重量：	1,012㎏
圧縮比：	7.22：1	離昇出力：	1,700hp＠2,700rpm

１９１６年に設立されたＢＭＷ社は、まず水冷直列6気筒V型エンジンで成功をおさめた後に、１９２７年頃より星型エンジンの開発にも手を広げた。１９２９年に米国プラット＆ホイットニー社と、ホーネット・エンジンのライセンス契約を結び、それをベースとしてＢＭＷ１１４（水冷星型）やＢＭＷ１３２などが開発された。やがて１９３５年頃に、ＲＬＭ（ドイツ航空省）の資金援助を受けて、ＢＭＷ１３９（ＢＭＷ１３２の複列化）の開発が、エンジニアのヘルムート・ザクセを中心に進められた。

このエンジンは当初、大型機に搭載することを想定していたのだが、フォッケウルフ社のクルト・タンク博士が、Ｆｗ１９０試作機への搭載を提案した（当時のドイツ軍戦闘機向けには、ダイムラーベンツＤＢ６０１が量産に入っており、Ｆｗ１９０試作機へＤＢ６０１を使用する許可は、下りにくい事情もあった）。当時の常識では、戦闘機に大型の星型エンジンを搭載する事例は珍しかったが、機体側の工夫で抗力を減らすことができると、タンク博士が判断を下したためである。しかし開発が進むにつれて、エンジンの冷却不足が大問題となり、最初から設計をやり直す必要に迫られた。そのような経緯からＢＭＷ１３９の小型化を計り、数々の新機構を取り入れて誕生したのが、空冷星型複列14気筒のＢＭＷ８０１である。１９３８年10月より設計が開始され、開発は順調に進んで翌39年4月には試運転に成功、早くも

BMW801

Chapter ▸▸ 02

2

過給器への空気は機首開口部から取り入れて、中央の膨らんだカバーの下のダクトを通り、エンジン側面から給気する方式。カウリング前面の一段盛り上がった円型部は、なんとエンジンを保護する鋼製装甲リングだ。2010年6月7日、およそ65年の沈黙を破って、BMW801が始動する。手間取るかと思われたが、意外にスムースに火が入る。レストアに携わったスタッフの長きに渡る苦労が、報われる感動の瞬間である。

1

黄色の細い配管が集中するインジェクション・ポンプ、その上方の円型体がフューエル・ポンプだ。下方エキゾースト・パイプのすぐ上には、大きなオイル・ポンプが見える。それにしても巧みなエキゾースト・パイプの配置である。造形的に液冷V型エンジンのエキゾースト・パイプよりも、美しくまとまっていると感じる。これは当時のオリジナル品だ。エンジンをマウントしている灰色のリングは、溶接で製作された2ピース構造で、コマンド・ゲレートのオイル・タンクも兼ねている。(Photo:John Schuler)

１９４０年から量産体制に入った。後期モデルにはターボチャージャー付や高過給圧仕様もあり、Ｆｗ１９０だけでなくドルニエＤｏ２１７、ユンカースＪｕ８８など爆撃機にも搭載され、総生産基数は優に６００００基を超えたと記録されている。

　このようにドイツ空軍を代表する空冷星型エンジンとなったＢＭＷ８０１は、基本構造の設計こそオーソドックスだが、パイロットがスロットル・レバー操作だけで、飛行を統合制御できる〝コマンド・ゲレーテ〟、デッケル製フューエル・インジェクション・ポンプ、強制冷却ファンなど、先進的な数々の機構を採り入れているのが特長である。それゆえＢＭＷ８０１を搭載したＦｗ１９０は一時期、高度６０００ｍ以下では無敵を誇り、「戦闘機に空冷星型エンジンはありえない……」という、イギリス空軍の常識を打ち砕いたのである。高性能で先進的、それでいて前線の酷使にも耐えるＢＭＷ８０１は、まさしくダイムラーベンツＤＢシリーズと双璧を成し、当時のドイツ技術水準と工業力の高さを、見事に体現した傑作エンジンなのだ。

　ここで紹介するＢＭＷ８０１は、ロシアで回収された比較的良好な残骸状態のＦｗ１９０に搭載されていた。この回収機はまずイギリスに渡った後、１９９１年にアメリカの大戦機収集家が買い取った。そしてＢＭＷ８０１のレストアは、当社Ｖ.Ａ.Ｅ.で２００７年より始まり、２０１０年にエンジン単体での試験運転を

カウリングを装着しての試運転

計4時間の運転を行う。1時間ごとに少量のオイルを抜き取り、金属粉などの有無を確認しながら進める。エンジン回転数1,800rpm付近で、連続運転を行った。エンジンの好不調を如実に示す吸気管圧力計と油圧計、油温計の動きには細心の注意を払う。最後の20分間のみ、全開運転を行う。コントロール室はエキゾースト・パイプの直後に位置するため、全開運転時の排気音はすざましいものがある。コントロール室よりエンジン全景は見えないため、補助要員2名を配置して、異常があれば知らせる方式をとっている。テストランでは,約150ガロン(約568ℓ)の航空ガソリンを消費した。また夜間にも試運転を行い、排気ガスの色を目視判定することで、各シリンダーへの燃料供給状態を確認した。通常は青白い炎（輝きのある）が良いとされているが、少しオレンジ色かかっていたと記憶している。事前にフューエル・インジェクション・ポンプ排出量を較正したが、実働させると多少違うようだ。このあたりが機械式制御の面白い部分である。

プロペラはVDM製3ブレードで直径3.3m。通常、オリジナル・カウリングを装着してまでのテストランは行わない（写真左手にテスト・スタンドの簡易カウリングが見える）のだが、BMW801だけは特別。フル・カバー状態にするのは、空気の流れを飛行状態と同じにするためである。特にシリンダー周りの冷却が、非常に重要であるからだ。このカウリングは、側面のヒンジを支点にして、上下2枚ずつ（左右で合計4枚）で開閉し、着脱も容易だ。プロペラ（新品！）の迫力と冷却ファン（プロペラ・シャフトの1.72倍で回転する）の存在感は圧巻だ。この状態でスピンナーを装着できれば、完璧であった。プロペラ・ピッチ・コントロールは、コマンド・ゲレーテを介さず別配線を製作して、マニュアルで操作した。ちなみにテスト・スタンドは、トラック荷台の改造品である。

実施した。そして、わずかその6ヵ月後には、並行してレストアが進んでいていたFw190に搭載され、60余年ぶりに大空へ還ったのだ！　ちなみに2014年末時点で、オリジナルの機体とエンジンで飛行するFw190は、世界中にこの1機しか現存しない。実はV.A.E.では、もう1基のBMW801をレストア中で、こちらは諸事情によりしばらく作業を中断していたのだが、2013年から再開している。このBMW801もFw190に搭載される予定なので、もしかするといつの日か、オリジナル・エンジンを搭載するFw190の編隊飛行が見られるかもしれない。

BMW801の設計コンセプトは、機体の空気抵抗を液冷エンジンより小さくするために、シリンダー・バレル、エア・バッフル、オイル循環の配管などを、隙間ギリギリに詰め込むことで小径化を図っている。結果的に原型となったBMW139よりも、直径で90㎜小さく仕上がっている（それでもエンジン全体としては、大柄な感じはするが……）。また完全エンジン交換仕様（運転時間管理してエンジンごと交換する）を想定しているため、他の空冷星型エンジンに比べて手を差し入れる空間が狭く、補機類・周辺配管などの整備性は、決して良好とはいえない。機体に搭載した状態で、下部シリンダー間のオイル配管交換なんて、想像するだけでも恐ろしくなる。

実は機体搭載後の地上運転で、13番気筒

機体搭載を待つBMW801

エンジン左に見える茶色の筒は、かなり大きめのオイル・フィルター。分解して内部を清掃すれば、何度でも再使用できる。黄色の細い配管は燃料の送付管で、シリンダー・ヘッド後方の噴射ノズルに装着される。同クラスの他エンジンと比較して、全体的に大柄ではあるが、補器類をギュと詰めて込んでコンパクト化を図ったパーツ・レイアウトはさすがドイツ製だ。(Photo:Mike Nixon)

BMW801
Chapter ▸▸ 02

カウリングとのフィッティング

整備スタンドにエンジンを立てかけ、サイド・パネルを開いた状態。パネルはわずか2カ所のバックルで開閉できるので、前線での点検や軽整備は容易に行えたことだろう。パネル裏側の丸い窪みは、補強のためのスタンピング加工だ。

レストア搬入時のBMW801

木箱を開けたら、プロペラ・シャフトを受けるスタンドが破損して、エンジンが尻餅をついていた。幸い大きなダメージはなく、事なきを得たが……。外観は綺麗だったので、安心したが分解してみたら、エンジン内に異物があったり、ピストンリングの組み間違えなどが判明した。実はこのエンジンは、V.A.E.に来る以前も某社でレストアを進めていたらしいのだが、途中で頓挫したとのことだった。(Photo:Mike Nixon)

からの白煙が止まらないため、やむを得ず機体整備を行っているアリゾナまで、ピストン・リングの交換に一週間ほど出張した経験がある。この時の苦労といったら、それは大変なものだった。灼熱の炎天下で梯子の上に立ち、片足を隣のシリンダー・ヘッド上に乗せて、軽い前屈姿勢で両腕をエンジンの隙間に差し入れ、見えないシリンダー・バレル・ナットを、指先の感覚だけで取り外すといった、拷問（？）にも近い整備を行ったのだ。

戦況の悪化に伴い、ユニット交換もままならなくなった前線で、当時の整備兵もこのような作業を、日常的に繰り返していたのか……などと想像すれば、貴重な体験だったとも思えてくる。それでも整備作業中、銃爆撃される心配がないだけ、私の方がはるかにマシな状況だったことは間違いないが。なおBMW801のレストアは、V.A.E.でも初めてだったことに加えて、可能な限りオリジナル部品を残して仕上げることが、オーナーの希望だったため、作業は非常な困難を伴った。とはいえ、随所に見られるドイツ的なこだわりの設計に、呆れるやら感心するやら様々な意味において、大いに楽しませてもらったエンジンでもある。

テスト・スタンドに架装されたBMW801

冷却ファンと装甲リング付オイル・クーラーの取り付けを待つBMW801。冷却ファンとプロペラ・ピッチ・コントロール駆動ギヤなどを内蔵するため、ノーズ・ケースはかなり大きく複雑な形状をしていることが解る。ノーズ・ケース上部に露出しているパーツは、スパーク・プラグに高電圧電流を分配するデストリビューター・ブロック。これがマグネトー（高電圧電流発生器）内部に取り付く。1気筒あたり2本のスパーク・プラグを装着するツイン・スパーク・タイプだ。このように点火系補機が、エンジン前部に集中しているのは、米英製空冷エンジンと異なる点だ。もし機体搭載後に、マグネトー交換をするようなことになった場合は、オイル・クーラーやプロペラなどを外さないと作業ができない。

オイル・クーラーのフィッティング

シリンダー・ヘッドの先端に、オイル・クーラーの取り付けボスがある。全位置の整列を出し、取り付けるのはかなり骨の折れる作業であった。微妙にズレている箇所があり、対角線上のボルトを緩めたり、クーラー側のエンドを叩いて修正したりと、この大物パーツはなかなか手ごわい相手だった。

装甲カウリング付オイル・クーラーの取り付け

鋼製装甲リング付なので、かなりの重量があるうえエンジンとのクリアランスが小さく、シリンダー・ヘッドなどに当てないよう細心の注意を払って取り付けた。

オイル・クーラー外観

環状のオイル・クーラーは、装甲カウリングの内側にマウントされる。大多数の空冷星型エンジン搭載機は、独立したオイル・クーラーを機外に装着しているが、抵抗低減に腐心するK.タンク博士が、導き出した快心の設計といえるだろう。

1

2

3

1

冷却ファン

ファンはマグネシウム鋳造品で、鋳肌はあまりきれいではない。ファン後部周辺の整備性は、エンジンとのクリアランスがほとんどないため最悪。ギリギリまで寸法を詰めているのが解る。

2, 3

プロペラの取り付け

プロペラ・ブレードのピッチ角を、基準より1,150㎜位置で調整する。この後、コマンドゲ・レーテのDUZケーブル、テストラン用ピッチ指示計器（実機搭載品）の動作確認をする。

Piston
ピストン

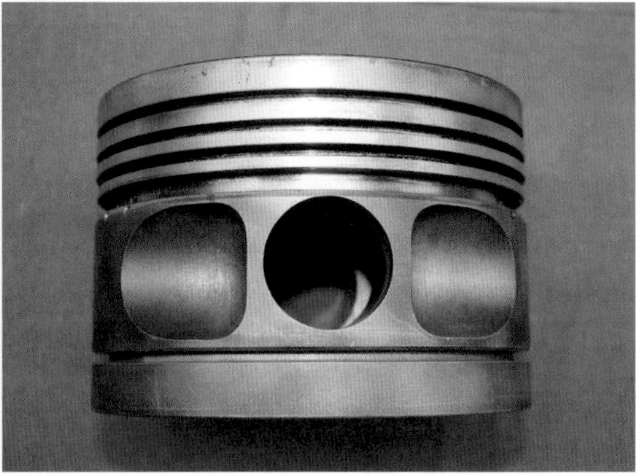

ピストン

ピストンは載せる機体（機種）に合わせて、仕様違いがある。ピンボス周辺の肉抜き、頂部の形状などが異なる。ピン径は38㎜、コンプレッション・ハイトは61㎜で、重量は2,450ｇ前後だ。上から3本が圧縮リング、下側の1本はオイル・コントロール・リング。スカート部にオイル・スクレイパー・リングとなるリングの構成は同じ。このエンジンには、ボス周辺の肉抜きがないピストンを使用した。

ピストン・ピンとリテーナー

ピストン・ピンは単純な形状だが、重要部品なので念入りに磁気探傷法でクラック・チェックを行う。リテーナーはアルミニウム製で、ピン孔内をフリーで回転しながらシリンダー壁に接している。

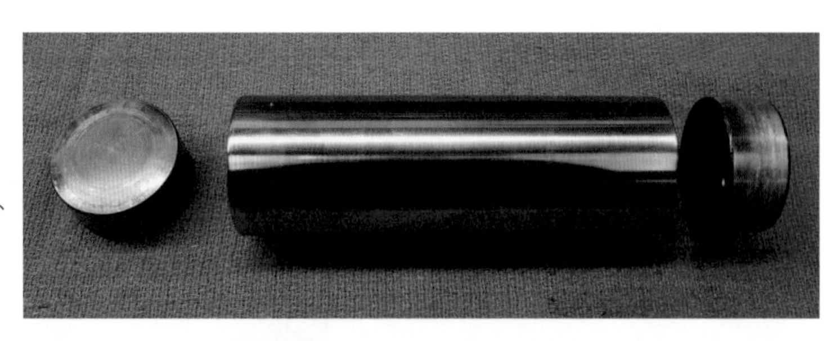

ピストン裏側

表面の仕上がりは良好。オイル・リターン孔のエンドは、すべて面取りしてある。細かい部分だが、手抜きはない。裏面に補強リブがあるタイプと、補強リブがなく丸みをもったタイプの2種類がある。

ピストンを組み入れる

星型エンジンの組立て工程は、各部の検査が終了した後、ノーズ・ケース（プロペラ減速機構部）、アクセサリー・ケース（後部補機取り付け部）、パワー・ケース（クランク、コンロッド周り）ブロワー・ケース（吸気系）と、おおよそ4つのセクションを個別に組み立てておき、最終組み立てで全部のセクションを結合するのが基本となる。この状態は、ピストンを組み入れ（必ずマスター・コンロッドより始める）を開始したところ。この後シリンダー・ヘッド・バレル・アッシーを組み入れていく。ここまでで、およそ半分の工程終了といったところ。BMW801は補機類、マウント・リング、コマンド・ゲレーテ、周辺の小パーツ、配管に手間がかかるため、実はここからが更に大変なのだ。(Photo:Mike Nixon)

シリンダー挿入直前

この状態だとピン・リテーナーはピンと共に落ちてくるので、その前にすばやくシリンダーを挿入する。このピストンは頂面がフラットで、ボス周辺に機械加工が入っていない、戦闘機用エンジンのピストンである。シリンダーを取り付けるスタッド・ボルトは18本。全気筒で合計252本にもなる。BMWはスタッドボルト用ナットの頭が、特殊形状のため専用レンチが必要となる。(Photo:Mike Nixon)

シリンダー・バレル取り付けナット

米英製エンジンとは異なり、ナットの緩み止めタブは用いないで、スプリング・ワッシャを使用する。幸いレンチはオリジナルを入手することができたので、製作する手間は省けた。ドイツ製エンジンは、このタイプのナットを使っている場合が多い。

Crank Shaft & Connecting Rod

クランク・シャフト&コンロッド

クランク・ケースの組立

コンロッド・アッシーを組み入れる。太い物がマスター・ロッドである。気筒番号8番と9番位置に組み入れる。力強さを感じさせるデザインで、肉抜き加工が美しい。小端部から大端部へのライン形成、角面の処理などに設計者のセンスが表れる。(Photo:Mike Nixon)

クランク・シャフト外観

クランク・シャフトは3分割構造。初期は4分割構造であったが、コスト低減と生産性向上のため設計変更を受けた。この前後にクランク・カウンターとコンロッド・アッシーが組み込まれる。シャフト本体は非常に綺麗な鏡面仕上げで、中央の円型部品はローラー・ベアリングの受け。ここがクランク・ケースの真ん中となる。(Photo:Mike Nixon)

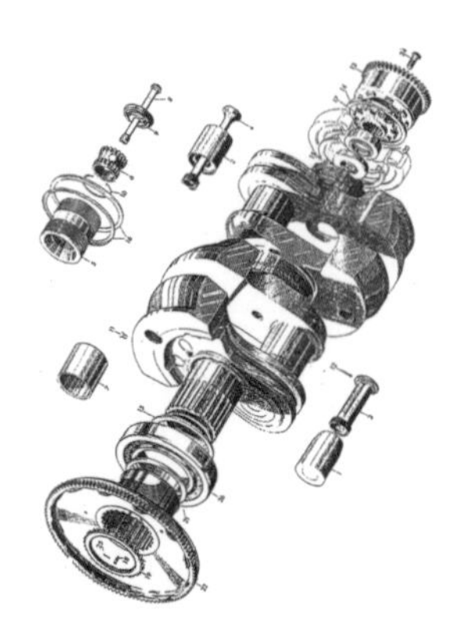

クランク・シャフト構成部品

クランク・カウンター・ウエイトの組立

この組み立てで注意を払う点は、カウンターの位置を正確に出すことだ。はめ合い部は非常に精密に加工されている。カウンター・ウェイトには、組み込み式のダンパーが入る。(Photo:Mike Nixon)

カウンター・ウエイトに圧入するパーツ

この拳銃弾のような形状のパーツは、カウンター・ウエイトに圧入する。真ん中の孔は、オイルの給油孔。表面にはカジリ防止とシール性向上のため、銅系コーティングが施されている。この内側（テーパーになっている側）に雌ネジが切ってあり、圧入後に専用ボルトを締め上げて完成となる。

クランク・カウンター・ウエイトの組立

この作業のためだけに、専用プレス機まで製作。当時使用していたものに、ほぼ近い構造とした。圧入トルクは30t、カウンターの整列を出しながらの圧入になるので、手間がかかるし神経を使う。この辺りは、組み立てにコツを要する。とにかく、このような組み立て方をする星型エンジンは、他に見当たらない。戦時下の工場組み立ては、専用ラインに治具があっただろうが、生産性は悪かったと思う。(Photo:Mike Nixon)

Cylinder Head

シリンダー・ヘッド

シリンダー・ヘッドの組み立て

バルブのエンドが見える。バルブ・ガイドはブロンズ製。ヘッドの使用温度は180～220℃となっており、特にマスター・ロッドのシリンダー・ヘッド（8、9番シリンダー）には、注意が必要である。バルブ・クリアランスの調整値が、前列気筒0.6㎜、後列気筒0.45㎜（エンジン温度20℃）となっている。通常はインテーク側、エキゾースト側と管理するものだと思っていたので、少し驚かされた。(Photo:Mike Nixon)

1

2

3

1

シリンダーの配置

前列は奇数気筒、後列は偶数気筒になる。カウント方向は後方よりみて時計回り。エンジン最上部が1番気筒だ。点火順序は1-10-5-14-9-4-13-8-3-12-7-2-11-6となる。

2

シリンダー・ヘッドを上方より見る

中央の2つの孔は、スパーク・プラグを取り付け孔。スパーク・プラグをシリンダー・ヘッドの前後に配置せずに、一方のみに配置したのが興味深い。アルミニウム鋳造製空冷フィン表面の作りは、少し粗っぽい。フィン枚数の多い右側がエキゾーストだ。

3

シリンダー・ヘッドを後方より見る

中央の黒いカバーが付いている部分が、インジェクション・ノズルの装着部。左がインテーク・ポート、右がエキゾースト・ポートになる。左右の黒い棒状の部品は、カムの動きをバルブに伝えるプッシュ・ロッドのカバー。また隙間なくピタリとシリンダー・エアバッフル（内側を冷却風が通過する）が、ヘッドを包み込むように取り付けられる。

Chapter ▸▸ 02

Accessory Case

アクセサリー・ケース

エンジン後部（アクセサリー・ケース）

左下に手動スターター伝達チェーンが見える。その右横には発電機、スーパーチャージャーのギア・ボックス（楕円型の黒いボックス）が見える。青色の配管があるのはコマンド・ゲレーテ本体。中央がスターター・モーター。その下がインジェクション・ポンプで、フューエル・ポンプはその左脇に取り付けている。エンジン後部にこれほどのパーツが、ぎっしりと詰まっている星型エンジンは、おそらくBMW801だけだろう。

アクセサリー・ケース補機配管

コマンド・ゲレーテに供給するオイル配管とエア配管が、ところ狭しと接続されている。右側の茶色円筒パーツがオイル・フィルター、中央にインジェクション・ポンプが見える。配管もすべて新品に交換した。サイズ違いでおよそ28本も必要なうえに、各箇所ごとに長さが厳密に決められているので、組み立て管理が大変だった。分解時に正しく把握して、記録しておくことが重要である。

スターター・シャフト

手動用スターター・シャフトは、エンドに手回しクランクを差し込んで回す。駆動伝達はチェーンだ。小排気量モーターサイクルのドライブ・チェーンとほぼ同サイズである。どの程度の力で回せるか、ぜひ試してみたかったのだが、機会に恵まれず残念。

アクセサリー・ケース内部

コマンド・ゲレーテ、フューエル・ポンプ、インジェクション・ポンプを駆動させるため、通常の星型エンジンよりギアが多い。組み立て時に噛み合わせ位置が決められている箇所もあるので、分解時は確認が必要だ。

Exhaust Pipe

排気管

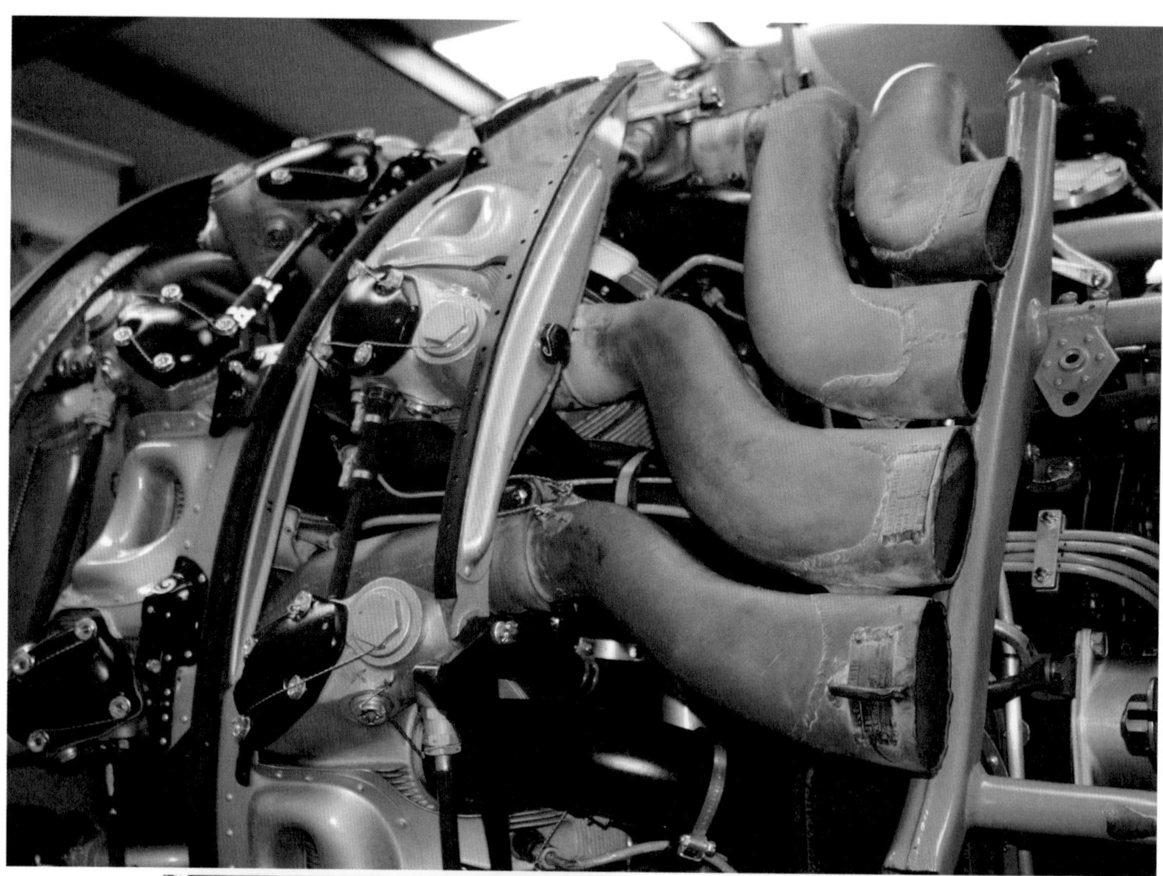

エキゾースト・パイプの配列

エキゾースト・パイプの配列がよく解る。1本のパイプは、基本的に5つの部品を溶接して製作されている。端に向かって楕円形に絞り込むことで、カウリングとの隙間から排気ガスを高速で排出する。驚くべきことに、これらのパイプ・セットは当時の部品そのもの。状態は極上の部類だが、一部のクラックやへこみを修正して使用した。

結合部・中間点のボール構造

エキゾースト・パイプとシリンダー・ヘッドの結合部、パイプの中間点はボール構造になっていて、パイプ・エンドのブラケットとの調整を容易にしている。なかなかいいアイデアだと思う。上方に見える4つの筒状のパーツは、マウント・ダンパーだ。ここにコマンド・ゲレーテのオイル・タンクを兼用するエンジン・マウント・リングが取り付けられる。

集合エキゾースト・パイプ

9番、10番気筒エキゾースト・パイプが集合している。スペースの都合でエキゾースト・パイプを等長にできないのは、空冷複列星型エンジンの宿命か。パイプの配置と長さのバランスを考え、さらに機体側の要求を満たすのは、大変な作業であろう。燃料送付管（黄色の配管）の一部は、ループ状となっているが、これは等長とするため。各気筒ごとに絶妙の曲がり具合で、装着されている。吸気孔（左上にある青色の楕円型部品）脇のベベル・ギアに注目。コマンド・ゲレーテを介して、スロットル・バルブを動かすギアである。

1

2

BMW801

Chapter ▸▸ 02

Magneto

マグネトー

1

マグネトー本体

スパーク・プラグに高電圧を供給するマグネトー・コンタクト・ブレーカー・ポイントが見られる。ギャップ調整はこの状態で行う。中央の非金属製カム（コンタクト・ポイントを断続する）が確認できる。電装系パーツは簡単に入手できないうえ、樹脂系パーツのため取り扱いには、細心の注意が必要となる。

2

マグネトーの組立

オリジナルの配線は、当然使用できる状態ではないので、すべて新品に交換する。デストリビューター・ブロックが4個、合計28箇所の配電ポイントがある。ブロックには数字があるが、それは点火順番であり気筒番号ではない。中央部の丸い孔にマグネトー本体が取り付けられ、ノーズ・ケースから駆動ギヤによって運転される。

Kommando Gerät

コマンド・ゲレーテ

コマンド・ゲレーテ全景

中央部のカバーが外れ、内部構造の一部が見える。緻密で高精度なギヤ、カム、リンク、スプリングなどが組み込まれる。スロットル・バルブ、エンジン回転（プロペラ・ピッチ）、燃料噴射量、点火時期、スーパーチャージャー・ギアの切換など、エンジン稼働時のコントロールを、このユニットが制御する。基本的にパイロットは、スロットル・レバー1本を操作するだけで良い。これは戦闘状態において、非常に大きなアドバンテージになろう。まさしくコマンド・ゲレーテは、BMW801のキー・テクノロジーである。

コマンド・ゲレーテ 右側面

中央やや下よりにレバー取り付け基部が見える。ここにパイロットがコントロールするレバーを装着する。操作力軽減とレスポンス向上のため、パワー・アシスト機構が付く。その上方に見えるカバーには、点火時期とプロペラ・ピッチをコントロールするケーブルを装着する。オイル配管が茶色、エア配管が青色に塗り分けられている。入り組んだ配管が狭いスペースに交錯するため、一目でわかる良いアイデアだと思う。配管の識別マークというものはあるが、色分けの方がはるかに解りやすい。大戦機エンジンでこのように塗り分けているのは、BMWエンジンだけである。些細なことだが、こんなところにエンジニアの思想が表れるのではないかと思う。

エンジンへの取り付け面

中央の扇型ギアが、エンジン側スロットル・バルブ・コントロール・ギアと噛み合う。右側のアルミ製キャップ下に見えるのが、コマンド・ゲレーテの内蔵オイルポンプ本体。そのポンプ左に、スリットのあるシャフト・エンドが見える。ギアとこのスリットの噛み合わせを微妙に調整しながら、コマンド・ゲレーテ本体をエンジンに取り付けるのは、ちょっとしたコツがいる。

コマンド・ゲレーテ後部

中央の黒い円筒箱が、燃料のミクスチャー・コントロールを行う。その上部カーキ色の円筒物は、スーパーチャージャーの変速切換を行う。基本は大気圧またはブースト圧の変化を、アネロイド・カプセルで感知して、エンジンから供給されるオイルをピストンで制御、ギアやスプリング、カムを介して各ユニットを操作する。

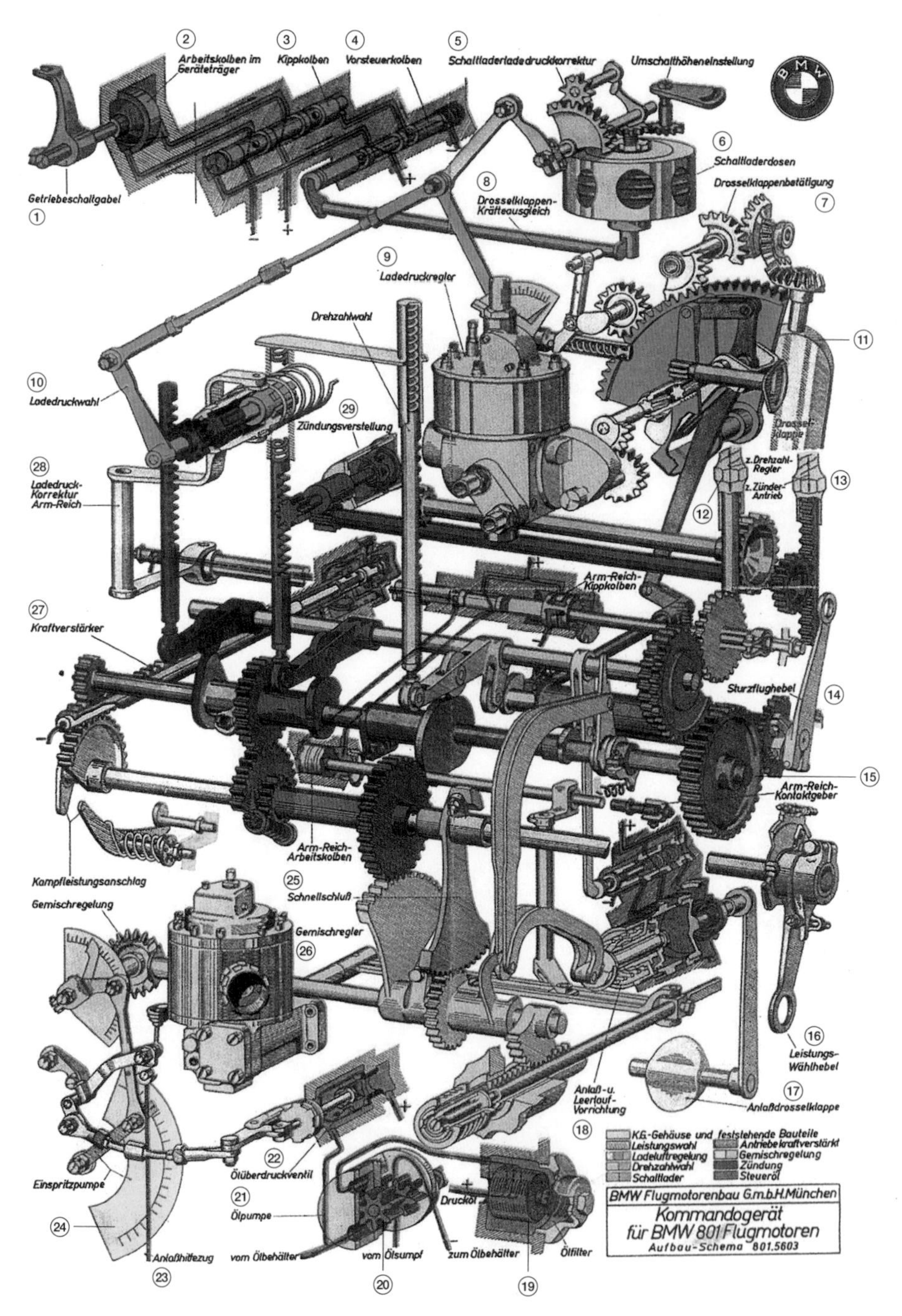

コマンド・ゲレーテ内部構造詳細

1 スーパーチャージャー・ギア・シフト・フォーク
2 ピストン
3 コントロール・ピストン
4 コントロール・ピストン
5 プレッシャー・コントロール・アシスト
6 アネロイド・カプセル
7 スロットル・レバー・ギア
8 スロットル・フラップ・イコライザー
9 ブースト圧レギュレター
10 ブースト圧コントロール・レバー
11 スロットル・フラップ
12 プロペラ・ピッチ DUZ ケーブル
13 イグニッション・コントロール・ケーブル
14 ダイビング・レバー
15 リッチ&リーン・コントロール
16 パイロット・コントロール・レバー
17 スターティング・フラップ
18 スターター・アイドル・アジャスター・コントロール
19 オイル・フィルター
20 オイル・ポンプ
21 レザボア
22 高圧オイル・コントロール
23 スタート・ヘルプ・ケーブル
24 インジェクション・ポンプ・インジケーター
25 クイック・シャフト・ギア
26 ミクスチャー・コントロール・レギュレター
27 パワー・アシスト・アンプリファイア
28 ブースト・コントロール・シャフト（リッチ&リーン）
29 イグニッション・コントロール
（エンジン・マニュアルより）

Kommando Gerät

コマンド・ゲレーテ内部機構

部品点数は数百点もに及ぶ。小さく細かな部品ひとつひとつが、丁寧に作りこまれている。過剰品質ではと思われるほどだ。最初に見たときの衝撃は、いまでも忘れられない。ドイツ工業力恐るべし。内部構造の詳細な解説は、オリジナルのマニュアルよりも、鹵獲エンジンを調査した米国調査機関の資料のほうが、ずっと解りやすかった。

コマンド・ゲレーテ作動テスト2

テストの結果、マニュアル指定値を示したので、整備完了と判断を下した。しかし、大きなメンテナンスなしで、ほぼ正常に作動したことは、驚きに値する。まるで生き物のようにギアとカム、スプリングが動き、規則的なノイズを発生する。メカ好きにはたまらないサウンドだと思う。これを単体で見たら、メカに精通した人でも、とうてい大戦機が搭載するパーツとは思わないだろう。

コマンド・ゲレーテの作動テスト1

テスト・リグは自作した。後面に電動モーターがあり、コマンド・ゲレーテの運転状態を再現する。簡易タコメーターを装着して、ほぼ機体搭載時の運転回転数で稼働させた。右側の緑色タンクからりオイルを供給する。圧縮エアをレギュレターを介して供給し、ブースト圧と大気圧変化を再現する。パイロット・コントロール・レバーを、5度ごとに動かしながら、機体に搭載される計器で値を確認した。

Reciprocating Engine

BMW801

Chapter ▸▸ 02

Kommando Gerät

コマンド・ゲレーテ
上方部と左側面

複雑な機能をコンパクトにまとめた設計は、まさしく賞賛に値しよう。当時のドイツ技術水準を象徴するコマンド・ゲレーテは、いわば『アナログ・コンピュータ』の先駆けともいえるだろう。その高度な機能性だけでなく、決して見逃してならないのは、これほど精密な機器を数万基も量産して、なおかつ実用レベルにまで到達させた事実である。

Fuel Injection Pump

燃料噴射ポンプ

インジェクション・ポンプ内部構造

テーパー加工されたローラーがカム上を滑ることにより、プランジャーがストロークして燃料をインジェクション・ノズルへ送る。この辺の部品の完成度は、もともと航空用ディーゼルエンジンを長く開発してきた、ドイツの強みであろう。

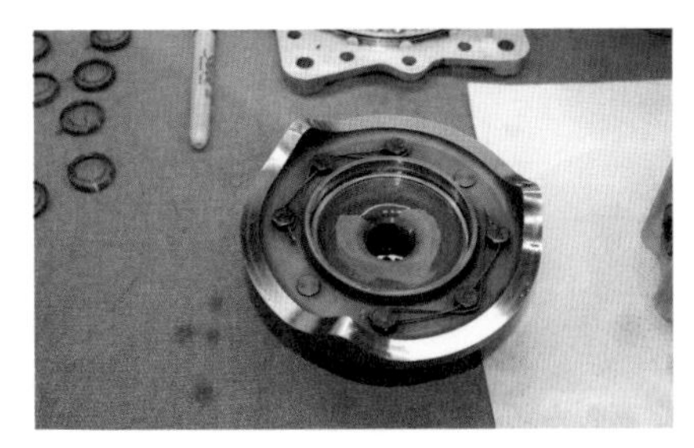

プランジャーをコントロールするカム･リング

プランジャーを押し下げるカム・リングは、高精度で綺麗な仕上がり。プランジャーが放射状配置なので、このような形状になる。目立ったダメージはなく、そのまま使用できた。

ディケル製 インジェクション･ポンプ

コマンド・ゲレーテからのロッドを介して、ピニオン・ギアとリング・ギアを動かし燃料の量を決定する。噴射タイミングはATDC（上死点後）20°だ。

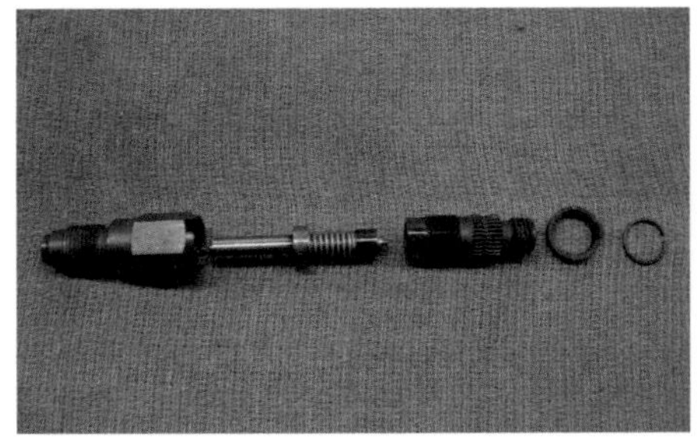

インジェクション・ノズルの分解

DBシリーズのインジェクター・ノズルとは明らかにタイプが異なり、燃料の微細化をはかる工夫がなされている。DBシリーズは径が異なる6個の先端孔から、放射状に燃料を噴く構造に対して、BMWのノズルは極小ポペット・バルブの開閉で噴射を行っており、明らかに進歩している。

大戦機エンジンの復元スペシャリスト

エアレース用エンジンは3,000馬力を超える。そのテストランの前でほほ笑むホセ氏。マーリン・エンジンは米国カリフォルニアから世界に送られる。(Photo：Michael O' Leary)

米国カリフォルニア州にある大戦機レストア専門会社「ヴィンテージV12s」の代表であるホセ・フローレス氏は、この業界の第一人者であり、そのキャリアは実に40年。主にP-51マスタング、スピットファイア、モスキートなどに搭載されるマーリン・エンジンのレストアを行っている。

自身が手掛けたエンジンの定期メンテナンスを行うため、ホセ氏はアメリカはもとよりイングランド、ドイツ、トルコ、ニュージーランドなど、世界中の航空ミュージアムや機体整備ハンガーに頻繁に出向く。非常に活動的なオーナーだ。

また、リノエアレースのアンリミテッド・クラスにおいては、彼がサポートしたマーリン・エンジンは10回以上の優勝を成し遂げている。2017年には、レシプロ・エンジン搭載機の最高速にチャレンジしたエアレーサー「ブードゥー」のマーリン・エンジンにチューンアップを施した。そのときの記録は531.53mph（855km/h）であり、見事ワールドレコードを樹立。実に28年ぶりに記録を更新した。

これまでに彼が手掛けたオーバーホール総数は、ロールスロイス・マーリン、アリソンを合わせて500基を超えている。豊富な知識と経験を併せ持つホセ氏は、まさしくV12エンジンのスペシャリストであり、世界屈指のマーリン・チューナーと言えるだろう。

趣味はクルマ。フォード、フェラーリ、BMWなどを所有している。生粋のエンスージアストでもある。

Chapter ▸▸ 03

Rolls-Royce Merlin

ロールスロイス・マーリン

Great Britain

Supermarine Spitfire
スーパーマリン・スピットファイア

/

Hawker Harrcane
ホーカー・ハリケーン

美しい放物線テーパーを
描く薄い楕円翼は、誘導
抵抗を軽減し運動性能を
高めると同時に重武装化
を図るために採用された。

Reciprocating Engine

Rolls-Royce Merlin

Chapter ▸▸ 03

優美で流麗な大英帝国の守護神

Supermarine Spitfire Mk.Ⅸ

高速性能を重視する欧州戦闘機は、液冷エンジンを多用した。Sシリーズの血統を受け継ぎ胴体断面積を極限まで絞り込んだ設計技法は、天才R.J.ミッチェルならではの手腕。

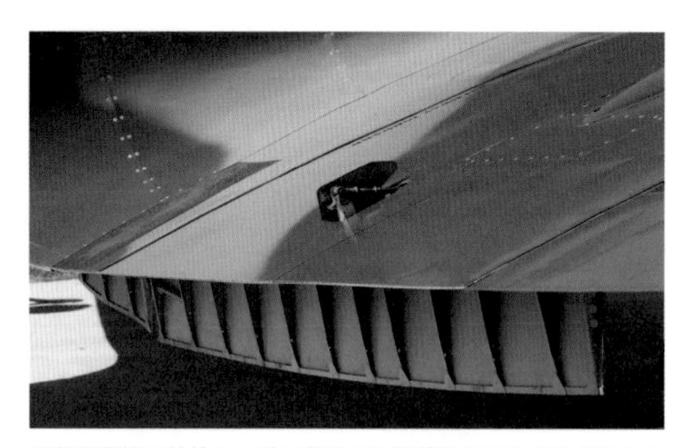

迎撃戦闘機の性格上、狭い草地でも離着陸を行う必要があるため、フラップは実に80度まで下がって、むしろエアブレーキとして作用する。

付け根で13%という薄翼かつ縦横比の高い楕円翼が、低速性能と高速性能を両立。さらに捻れ剛性の向上と誘導抵抗の低減、武装搭載スペースを確保するなど数多くの長所をもたらした。

ナチス党の台頭で、ドイツが軍備増強に邁進していた1930年代初頭、楽天的なイギリスとて、決して手をこまねいていた訳ではない。複葉戦闘機に換わる新型戦闘機の開発を、各社に打診していたのだ。この要求へ応じた中に、スーパーマリン航空機会社という、軍用機界ではほぼ無名の会社が含まれていた。だが同社主任設計技師R.J.ミッチェルが手掛けたエアレーサーSシリーズは、すでに"世界最速の水上機"を競う『シュナイダー・カップ・レース』で、3連覇の偉業を成し遂げていただけに、英空軍の注目度は極めて高く、直ちに試作機が発注された。

1936年3月5日、わずか1年余の開発期間で進空した試作名タイプ300は、目標値を上回る高性能を発揮したため、まだ試験飛行中にもかかわらず、英空軍は『スピットファイア』の制式名称を与えて、一挙に300機余の大量発注を行った。エアレーサーSシリーズの血統を受け継ぎ、戦闘機では類を見ない流麗なスタイルのスピットファイアは、その外観にたがわず空力的に洗練されていた。とりわけ大面積でありながら、主翼付け根で翼厚13%（同時代の戦闘機は14〜16%が主流）の薄い楕円翼は、高速化と誘導抵抗低減を実現しただけでなく、翼弦が長く取れるため翼内への重武装を可能にした。スピットファイアの象徴ともいうべき楕円翼は、優れた空力特性と重武装、そして『世界一美しい戦闘機』と形容される栄誉をもたらしたのである。

胴体断面積が小さいうえに迎撃戦闘機という性格上、コクピットはかなり狭い。風防前面は防弾ガラスで、スライド部はフレームのないバブル形状のため、側方視界は意外に良好だ。

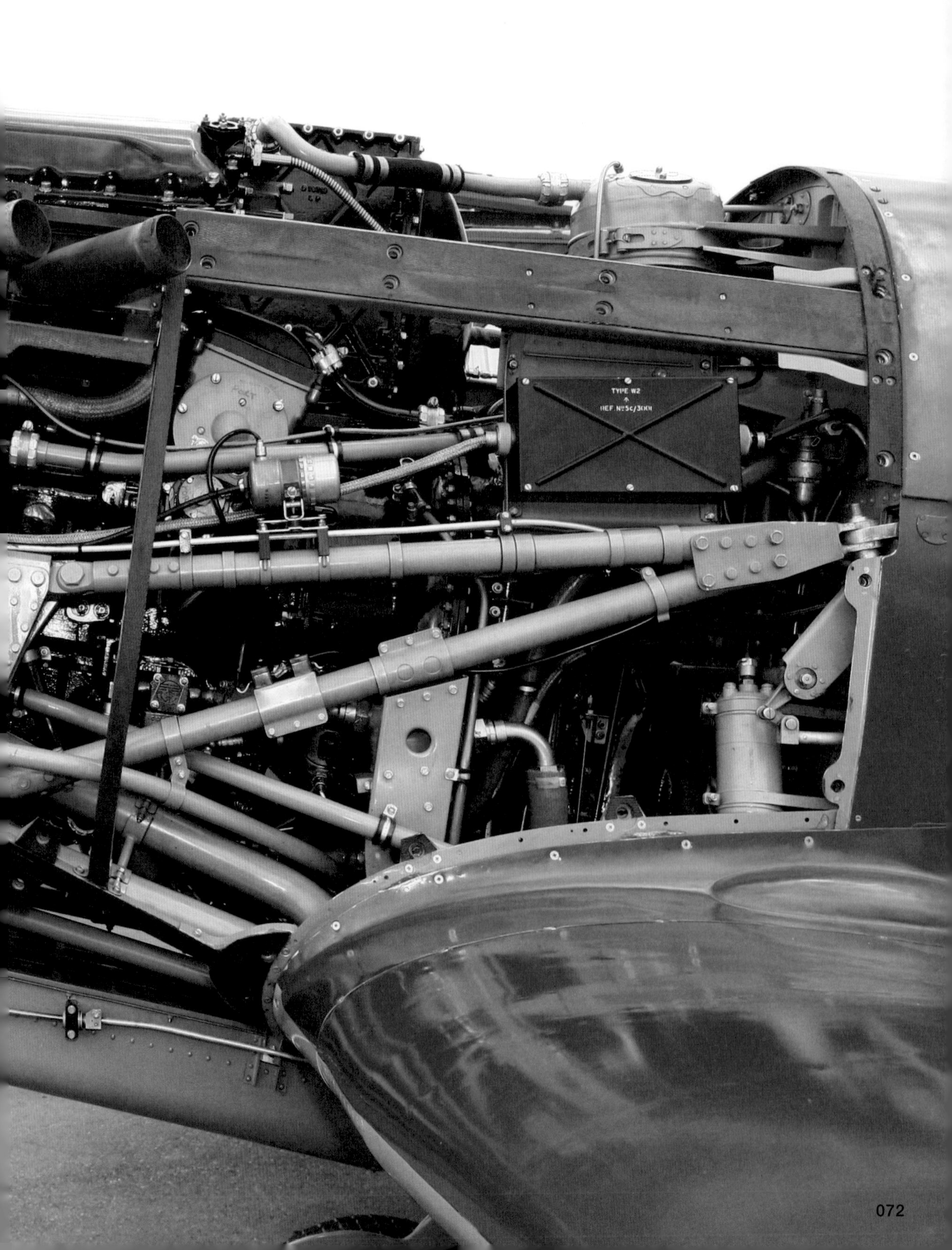
TYPE W2

Rolls-Royce Merlin

Chapter ▸▸ 03

Mk.IXが搭載するマーリン66は、2段2速過給器＋インター・クーラーを装備することで優れた高々度性能を発揮。高度6,000m以上で強敵Fw190を圧倒した。なお本機が搭載するのは、改良された2段2速式過給器を装備して、さらに高々度性能を高めたオリジナルのロールスロイス製マーリン70だ。

分解整備中の2段2速過給器。大小2枚のインペラーを駆動して2段階に過給することで、空気が薄い高々度でも大出力を維持できるのだ。

頂部の四角い箱が、混合気を冷却するアフター・クーラー。たゆみない過給器の改良、細い機首に収まる巧みな設計のアフター・クーラーが、成功の秘密である。

傑作エンジンなくして、傑作戦闘機は誕生しない。スピットファイアを名戦闘機の座へ押し上げた立て役者こそ、傑作エンジンの誉れも高い英ロールスロイス社マーリン系列だった。マーリンとはハヤブサ属のタカ"コチョウゲンボウ"の名称で、液冷正立V型12気筒、総排気量は27・04ℓの低圧縮高回転型エンジンである。1段1速過給器を装備した最初のマーリンⅠは、離昇出力がわずか880馬力に過ぎなかったが、地道な改良を続け1940年夏の英本土防空戦に間に合ったマーリンⅢは、出力を1030馬力まで向上させていた。また同空戦において、マイナスGがかかると燃料供給が途絶え、エンジンが息つきを起こしBf109を追撃できないという欠陥が発覚したが、後にキャブレータへ多孔ダイアフラムを追加することで、この問題は解決された。

1941年春、英仏海峡に出現した独空軍新鋭戦闘機フォッケウルフFw190は、英空軍を震撼させた。主力のマーリン45を搭載するスピットファイアMk.Ⅴでは、まったく太刀打ちできなかったのだ。そこで急遽、開発中だった2段2速過給器+インター・クーラー装備のマーリン61に白羽の矢が立ち、応急的にMk.Ⅴへ搭載してスピットファイアMk.Ⅸが誕生した。マーリン61は英空軍の期待に応えて、高々度でFw190を圧倒した。以降もマーリンは改良を続け、排気量を拡大することなく、最終的には実に2060馬力を絞り出したのである。

グリフォンに換装したMk.XIVは、後期生産型から水滴型風防が導入されてイメージが変わった。実際に隅々まで再設計されており、「別機」といって差し支えない。

2段2速過給器装備で傑出した高々度性能を発揮するマーリン60系

機首上面の突起は大型化したグリフォンのシリンダーヘッドを収容する苦肉の策。大出力を吸収するためロートル製プロペラは5翅ブレードとなった。

後継となるロールスロイス・グリフォンは、マーリンとほぼ同寸法で、排気量を36・7ℓまで拡大して大出力化を図り、後期型は実に2400馬力を発生した。

ヒョットコの口に似た奇妙な機首形状は、埃からエンジンを保護するためのエアフィルター。砂塵が舞い上がる未舗装滑走路で運用する北アフリカ戦線など、主として熱帯地域配備機に装着された。

Specifications [**Supermarine Spitfire Mk.IX**]

全長：	9.474m
翼幅：	11.227m
全高：	3.569m
翼面積：	22.48m2
機体重量：	2,545kg
全備重量：	3,572kg
最大速度：	669km/h（8,230m）
巡航速度：	521km/h（6,096m）
上昇力：	1,204m/min
実用上昇限度：	13,106m

航続距離：	698km
	1,577km（増槽装備）
エンジン：	ロールスロイス・マーリン60系
	液冷V型12気筒
	最大出力1,580hp（マーリン66）
武装：	ブローニング7.7mm機関銃×4挺
	（各350発）
	イスパノスイザMk.Ⅱ20mm機関砲×2門
	（各60発）
	454kg爆弾×1

古典構造で闘い抜いた不屈のジョンブル魂

Hawker Harrcane Mk.XII

Reciprocating Engine

Rolls-Royce Merlin

Chapter ▸▸ 03

武骨なフォルムはホーカー社の伝統だが、湧き上がる雲を背景に飛翔する姿は、英本土防空戦を彷彿とさせ勇ましい。このハリケーンMk.XIIは、カナディアン・カー＆ファウンドリーが生産した型式で、英国製Mk. IIと同規格の機体に米国パッカード製マーリンを搭載している。

ハリケーンは胴体前部が古典的な鋼管スペースフレーム構造のため、エンジン架も華奢なおかげでマーリン全体がよく見える。なお戦時下のエンジン塗色は黒か青灰色だったが、本機はオイル漏れ等を発見しやすいように赤く塗装している。

後部胴体の内側を覗くと、鋼管フレーム羽布張りに木製縦通材を組み合わせた、まるで第一次大戦機のような構造が一目瞭然になる。

名機スピットファイアと同じマーリン系列エンジンを搭載しながら、構造は古典的で空力的洗練度も低い。すべての面において時代遅れの設計が、不利に働いて性能差へ顕著に表れるのだ。

前身が、第1次大戦の名戦闘機キャメルを生産していたソッピース社である老舗ホーカー社は、好意的に解釈すれば堅実、意地の悪い見方をすれば、時代遅れの航空機作りを行う大企業である。必然的に保守性を好む英空軍とは蜜月の関係にあり、ほぼ同時期に開発が始まったスーパーマリン社のスピットファイアが、スマートな外観で近代的な全金属製モノコック構造だったのに対して、ホーカー社が提案した計画は、なんと複葉戦闘機フューリーの単葉化計画（！）だった。それでも新鋭マーリンを搭載する次期戦闘機『ハリケーン』は、なんと1000機もの大量発注を受けたのだ。ハリケーンは胴体前部が、鋼管フレームに金属張り、後部は木製縦通材に羽布張りの古色蒼然とした構造ではあっだが、既存の設備で生産性が高く、修理も容易な長所を備えていたからである。

英本土防空戦の火蓋が切られた1940年8月8日の時点で、英空軍が保有するハリケーンは22個中隊、期待のスピットファイアは、19個中隊が配備されていたに過ぎなかった。旧式で低性能であっても、数の上ではハリケーンが、英空軍の主力戦闘機だったのだ。そこで両機の性能差を熟知する英空軍は、スピットファイアを戦闘機迎撃に、ハリケーンは爆撃機攻撃へと振り分けて、天晴れ独軍の英本土侵攻を阻止したのだ。この戦闘でスピットファイアの名声は一気に高まったが、実質的により多数の爆撃機を撃墜したハリケーンこそが、真の功労者であった。

操縦席前面には防弾ガラス、座席後方には防弾鋼板を装備する。操縦席は比較的広くてゆとりはあるが、足下を冷却配管が通るため、熱気がこもるのが欠点だ。

Specifications ［ **Hawker Harricane Mk.IIB** ］

全長：	9.82m	実用上昇限度：	11,152m
翼幅：	12.19m	航続距離：	772㎞
全高：	3.99m		1,585㎞（増槽装備）
翼面積：	23.92m2	エンジン：	ロールスロイス・マーリンXX
機体重量：	2,495kg		液冷V型12気筒
全備重量：	3,311kg		最大出力1,280hp
最大速度：	550㎞ /h（6,705m）	武装：	7.7㎜機関銃×12挺
巡航速度：	476㎞ /h（6,100m）		454kg爆弾×1発または
上昇力：	846m/min		227kg爆弾×2発

最初のマーリン搭載型P-51B/Cは、基本的にP-51Aへ米パッカード製V-1650を搭載したモデル。胴体後部の上面が尖っている形状から、米国ではカミソリの背あるいはナガスクジラを意味する“レザーバック”と呼んだ。

Rolls-Royce Merlin

Chapter ▸▸ 03

傑作マーリン・エンジンへ換装して覚醒した名馬

North American P-51B/C Mustang

英空軍の依頼で開発されたP-51A（英国名：マスタングI）は、やや細長い機首形状を除いて、発展型マスタングとほぼ同一のディメンションであり、機体設計の優秀性を証明している。アリソンV・1710のキャブレータは降流式のため、機首上面に突出したエアインテークが、A型の外観的特徴となっている。

B/C型の武装は、片翼に2挺ずつ搭載するM2 12・7㎜機銃。相対的に火力不足だったうえ、給弾方式に無理があり、高荷重機動時にしばしば装弾不良が発生。早期に改良モデルD型の開発を促す結果となった。

レザーバックB/C型のキャノピーは、3分割式で側面窓と頂部窓を観音開きにして乗降する構造のため、緊急脱出が難しい。しかも枠が多くて視界が悪いうえ、狭苦しいこのキャノピーは、米軍パイロットには終始不評だった。

米陸軍よりひと足早く、マスタングI、IA、IIの名称で、総計764機を導入した英空軍は、その長大な航続距離を生かして、主に大陸沿岸部の地上攻撃、写真偵察に投入した。だが、低中高度用の1段1速過給器を装備するアリソンV-1710は、空気の薄い高々度で急激に出力が低下するため、マスタングに制空戦闘機としての出番はなかった。

ロールスロイス社テストパイロットのロナルドW.ハーカーは、折しも開発が進んでいた高々度用2段2速過給器装備型マーリン60系を、マスタングへ搭載する計画を提案した。試験飛行の結果は、予想をはるかに上回り、高度6096mで695km/hを叩き出して、直ちに制式化がしたのである。幸運にもロールスロイス社は、戦前に米パッカード社とライセンス生産契約を交わしていたため、米国改修機には米国製マーリンが搭載される運びとなった。以後、米陸軍名称V-1650を付与されたパッカード製マーリンが、P-51の"心臓"に据えられることになったのだ。

最初のマーリン搭載型P-51Bは、実質的にP-51Aと同一の機体であった。またテキサス州ダラス工場で生産された機体は、同一規格ではあるがP-51Cと命名された。欧州戦線に投入されたP-51B/Cは、あらゆる高度で傑出した機動性能を発揮し、長大な航続力でドイツ本土を戦闘行動範囲に収め、独空軍を震撼させた。優秀な英国製エンジンを得て、名馬は覚醒したのだ。

B/C型後期から搭載されるようになったパッカードV-1650-7マーリンは、英マーリン69の米国ライセンス生産版。エンジン後端に突出した円筒容器が、2枚のインペラーを内蔵する2段2速過給器で、その上部に配置された赤い箱は一度インター・クーラーで冷やされた吸気を再度、冷却してさらに燃焼効率を高めるアフター・クーラーだ。

アリソンV-1710シリーズは実戦投入された、唯一の米国産液冷V型12気筒エンジンである。まだ高々度戦闘を想定していない1930年代初頭に開発が始まり、過給器は1段1速式を導入したため、高々度性能は劣っていた。それでも英空軍の要求仕様は『液冷エンジン』だったから、マスタングⅠ（P-51A）への搭載は必然であった。

B/C型の欠点をことごとく解消したD型は、P-51マスタングの決定版となった。航空博物館や大戦機コレクターの間で、絶大な人気を堅持するP-51Dマスタングは、今もなお各所で新造やレストア作業が続けられているため、世界中に150機以上の飛行可能機が現存する。

欧州と太平洋の天空を征した野生馬

North American P-51D Mustang

Reciprocating Engine

Rolls-Royce Merlin

Chapter ▸▸ 03

Chapter ▸▸ 03

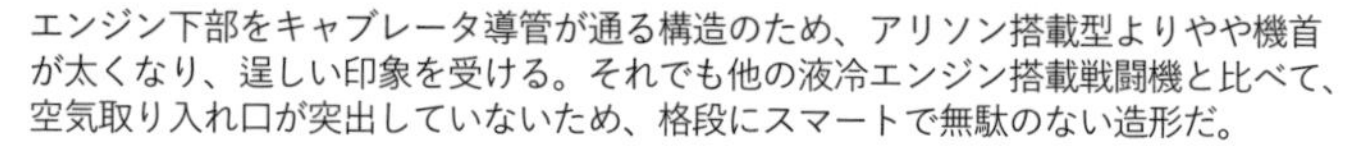
エンジン下部をキャブレータ導管が通る構造のため、アリソン搭載型よりやや機首が太くなり、逞しい印象を受ける。それでも他の液冷エンジン搭載戦闘機と比べて、空気取り入れ口が突出していないため、格段にスマートで無駄のない造形だ。

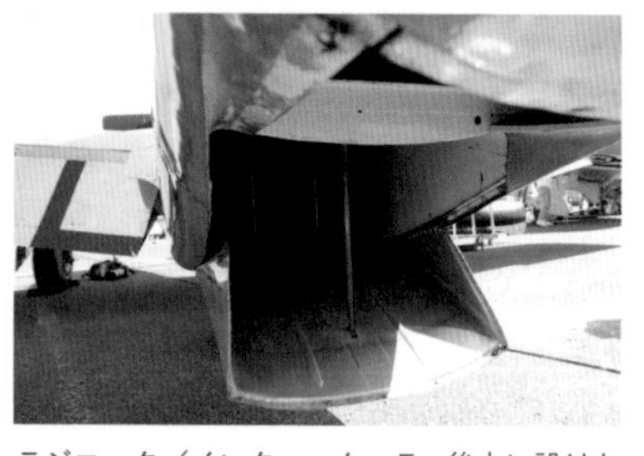
ラジエータ／インター・クーラー後方に設けた可変式シャッター。この開度で流入する空気量を変化させて、冷却液温度を効率よく調整する。マスタングの傑出した高性能は、この優れたエンジン冷却機構に負うところが大きい。

P-51の高性能を裏付ける、巧妙に設計された胴体下面の冷却エアインテーク。空気取り入れ口を、翼下面から約25㎜離して配置することで、翼下面に発生する境界層から分離して、吸入効率を格段に高めている。導風孔の内部に見える楕円形のコアはオイル・クーラーで、さらにその奥にラジエータとインター・クーラーを2段重ねにして搭載する。

とはいえ、V-1650に換装して、劇的な性能向上こそ果たしはしたが、レザーバック型のP-51B／Cは、後方視界不良と狭苦しいキャノピー、機銃の火力・信頼性不足など、実戦部隊から重大な問題点が、相次いで指摘された。その要請に応えて、ノ社が迅速に開発したのが、バブル・キャノピーを備え、機銃を6挺に増やして火力を強化、給弾方式を改善して信頼性を高めた、集大成ともいうべきP-51Dである。機動性能、航続性能、火力を高次元で調和させた、万能戦闘機が誕生したのである。優先配備された欧州戦域では、大編隊を組んで白昼堂々、ドイツ本土爆撃に向かうB-17、B-24の護衛に就き、爆撃クルーから信頼と感謝を込めて、〝リトルフレンド〟と呼ばれた。また太平洋戦域では、B-29の護衛に当たり長駆、硫黄島から日本本土に飛来して、各地を縦横無尽に暴れ回った。すなわちP-51Dは、欧州と太平洋の両戦域で、天空の覇者となったのである。

英空軍が発注するP-40戦闘機のライセンス生産を蹴って、自社開発という大博打を打ったノ社社長ジェームズ〝ダッチ〟キンデルバーガーの英断を皮切りに、亡命ドイツ人が主導した先進設計の機体へ、優秀なイギリスのエンジンを搭載して、最高水準のアメリカ工業技術で大量生産され、さらに実戦を経て磨き抜かれたことが、P-51Dマスタングをレシプロ戦闘機の最高傑作へと押し上げた。まさしく米英独の秀でた血筋を引く優駿である。

計器類や照準器、酸素レギュレータなどが、極めて合理的に配置されたコクピット。まさに『人馬一体』の感がある。またK-14光像式照準器は、ジャイロで弾道の補正を行い正確な自動見越し角射撃を実現した、革新的なリード・コンピューティング方式で、1944年秋からP-51Dに優先して搭載された。

75ガロン（283ℓ）増槽を装着すれば、航続距離は3000km以上に延び、英国からドイツ全土、あるいは硫黄島から日本本土への往復飛行が可能になった。

Specifications [**North American P-51D Mustang**]

全長：	9.83m	上昇力：	6,096m/7.3min
翼幅：	11.28m	実用上昇限度：	12,771m
全高：	3.71m	航続距離：	2,987km（増槽付）
翼面積：	21.66m2	エンジン：	パッカード・マーリンV-1650-7
機体重量：	3,463kg		液冷V型12気筒
全備重量：	4,581kg		離昇出力1,490hp
最大速度：	704km /h（7,620m）	武装：	12.7㎜機関銃×6（計1880発）
巡航速度：	583km /h		454kg爆弾×2、5inロケット弾×10

米軍爆撃機より防御力が劣るランカスターは、夜間爆撃を担当してドイツ本土を焦土と化した。胴体と主翼下面に黒色塗装を施しているのは、闇夜に溶け込む迷彩だ。

第三帝国に鉄槌を下した暗闇の魔王

Avro Lancaster

アブロ・ランカスター

Specifications

[**Avro 683 Lancaster Mk.I**]

全長：	21.18m
翼幅：	31.09m
全高：	6.10m
翼面積：	120.49㎡
機体重量：	16,738kg
全備重量：	31,751kg
最大速度：	462km/h（3,505m）
巡航速度：	338km/h（6,100m）
実用上昇限度：	7,470m
航続距離：	4,072km（爆弾3,175kg搭載時）
エンジン：	ロールスロイス・マーリン24
	液冷V型12気筒×4
	最大出力1,640hp
乗員：	7名
武装：	7.7mm機関銃×8挺
標準爆弾搭載量：	6,400kg
最大爆弾搭載量：	10,000kg

右／スピットファイアやモスキートにも搭載された、英国が生んだ液冷エンジンの最高傑作ロールスロイス・マーリンXX。ランカスターが傑作機と成り得た最大の要因である。 左／驚くべきことに全長のほぼ半分が爆弾倉！ 全長10.6mにも達する爆弾倉は、爆弾懸架部を機体構造と一体化する巧妙な設計で、最大で10tもの爆弾・機雷などを搭載できた。

スピットファイア、モスキートと並び賞される英空軍三大傑作機のアブロ・ランカスターだが、誕生には意外な経緯がある。その前身は「双発で4発爆撃機並みの性能」を狙った、野心的なアブロ・マンチェスターであった。ところが肝心のX型24気筒（！）ロールスロイス製バルチャー・エンジンは、トラブル続発で実用化の目処が立たず、やむなく実績のあるマーリン・エンジン4基に変更する代案が浮上した。再設計で大型化した主翼に、マーリン4基を搭載したこの"代案機"は、まさに怪我の功名で素晴らしい性能を発揮したため、ランカスターと改名して直ちに量産に移されたのである。

ランカスターの傑出した特長は、全長10mを越える巨大な爆弾倉に、最大10tもの爆弾を搭載可能な点だ。ちなみに僚友B-17は、5・4tが限界であった。それゆえ全長約8m、重量約10tもある怪物のようなグランドスラム地震爆弾で、分厚いコンクリートに護られた独Uボート基地を次々に粉砕したり、水面を飛び跳ねる特殊な反跳爆弾で、ダムを破壊して大洪水を引き起こすなど、剛力ぶりを遺憾なく発揮した。その反面で、高々度性能が劣り、防御火力は弱く、射撃範囲も死角が多いことが弱点だった。そこで独軍戦闘機の迎撃が激しい昼間爆撃は、米軍のB-17とB-24が、夜間爆撃は英空軍がそれぞれ分担した。夜陰に乗じてドイツ都市部へ、無差別に爆弾をばら撒くランカスターは、さしずめ暗闇の魔王であった。

戦闘機さえも上回る高速性能を武器に、戦場を翔け抜けた流麗な木製爆撃機モスキート。このモスキートはカナダで生産された戦闘爆撃型F.B.Mk.26で、ニュージーランドにおいてレストアされた。(Photo:Military Aviation Museum)

航空黄金期の高速機研究から誕生した「木の奇跡」

de Havilland D.H.98 Mosquito
デ・ハビランドD.H.98モスキート

Specifications
［ **de Havilland D.H.98 Mosquito FB.Mk VI** ］

全長：	12.47m
翼幅：	16.51m
全高：	4.65m
翼面積：	42.18㎡
機体重量：	6,486kg
全備重量：	10,115kg
最大速度：	583㎞/h（1,675m）
最大巡航速度：	523㎞/h（4,570m）
実用上昇限度：	10,060m
航続距離：	2,655㎞
エンジン：	ロールスロイス・マーリン25
	液冷V型12気筒×2
	最大出力1,620hp
乗員：	2名
武装：	7.7㎜機関銃×4挺
	20㎜機関砲×4門
爆弾搭載量：	907kgまたは454kg+ロケット弾×8発

右／胴体外皮はスプルース材と軽量なバルサ材の薄板積層構造。ちょうどプラモデルのように左右二分割成型して、操縦系統や配線・配管等を施した後に接着して組み上げられる。 左／鋼管製エンジン架に装着された、1,620馬力を発生するパッカード製マーリン225。作業中を行う技術者との比較で、驚くほどコンパクトな機体サイズが理解できる。

飛行機が長足の進化を遂げ、航空黄金期と呼ばれた1930年代、まだ弱小企業に過ぎなかったデ・ハビランド社は、熱心に木製高速機の研究と取り組んでいた。そこから誕生した双発で流麗なスタイルのD.H.88コメットは、1934年のイギリス・オーストラリア間長距離レースで、圧倒的な速さを見せつけて優勝を飾ったのである。この実績に注目した英航空省は、新型爆撃機の開発に、まだ実績が乏しいデ・ハビランド社を指名した。戦時下ではジュラルミンや鉄などの資材が不足するため、木製機は有用と考えられたからである。また航空機製造工場だけでなく、家具工場や木工所なども動員して生産可能なことも、木製爆撃機の採用へ有利に働いた。

デ・ハビランド社の計画は、それまで前例のない非武装の高速爆撃機であった。同社が長年に渡って蓄積してきた高速木製機の技術は遺憾なく発揮され、『モスキート』と命名された機体は、試作機の段階から素晴らしい性能を発揮した。しかも、ほぼ全体が木製の機体は、表面抵抗が小さく高速化に適しているうえ、機影がレーダーに写り難いといった数々の長所も備えていたのである。やがてその長所と桁外れの高性能を買われて、爆撃型だけでなく戦闘機型や写真偵察型、レーダー搭載夜間戦闘機型など、多くの派生型が誕生した。高速機研究から誕生したモスキートは、英空軍関係者から「木の奇跡」と絶賛され、なんと1960年代まで現役にあった。

Thorough Dissection

ロールスロイス・マーリン 徹底解剖

Rolls-Royce Merlin

Specifications

液冷正立60度V型12気筒	
排気量：	27.04ℓ
ボア×ストローク：	137.2×152.4㎜
圧縮比：	6.0：1
減速比：	1：2.380
全長：	2253㎜
全幅：	781㎜
エンジン乾燥重量：	746kg
過給機：	遠心式2段2速アフター・クーラー付
離昇出力：	1,290hp＠3,000rpm

航空レシプロエンジンの傑作として名高いマーリンを輩出したロールスロイス社は、1906年ヘンリー・ロイスとホン・チャールス・ロールスにより設立された。翌1907年に売り出した大型高級車40／50HPは、直列6気筒エンジンを搭載して、静かなエンジン音から"シルバーゴースト"の愛称が与えられ、保守的設計だが良質な材料、工作精度の高さ、シャーシのトータル・バランスの高さが認められて、ロールスロイス社に商業的成功をもたらした。"シルバーゴースト"は1925年までに、のべ6173台が生産され、世界各国の王族、貴族、富豪に愛用された。

やがてヘンリー・ロイスは、1914年の第一次世界大戦勃発に伴い、航空機用エンジンの供給不足を見越して、200馬力級航空エンジンの設計を計画した。その参考となったのは、イギリス軍が没収したフランス・グランプリ優勝車、独メルセデス製レーシングカーのエンジンだった。すなわちマーリンの遠い祖先、そのルーツは、ドイツにあったといえるだろう。それから二十数年後、文字どおり骨肉の争いを繰り広げたマーリンとDB。なんという歴史の皮肉であろうか……。ちなみにこの時、メルセデス製エンジンを分解して、詳細に調査した人物が、後にマーリンの開発を担当するチーフ・テスト・ドライバーのアーネスト・ハイブスであった。

ロールスロイスの新型エンジンは、メルセデスの特許に抵触しないように設計され、水冷V型12気筒、排気量20・3リッター、

Rolls-Royce Merlin

Chapter ▸▸ 03

現在でも相当数のマーリンが現存しており、オーバーホール依頼の80%がパッカード製マーリン（V-1650）で、残り20%が本家ロールスロイス製マーリン（グリフォンを含む）である。パッカード製は独自にパーツ設計をやり直し、本家ロールスロイス製より過給機周辺の整備性は優れている。またロールスロイス製とパッカード製では、ボルト、ナット類がＵＳインチ規格とブリティッシュ・スタンダードと異なるため、工具が2種類必要になる。しかもブリティシュス・スタンダード工具の種類が年々、少なくなってきているので、工具を確保しておかなければならないことも、頭の痛いところである。それはともかく、両メーカー製エンジンとも、DBシリーズのようにトリッキーな組立をする部分はなく、組み立て方法、手順もごく自然な印象で、特殊工具も充実しており、とくに苦労するようなことはない。この点は、当時の専用工具が廃棄されず比較的、数多く残っているからだ。通常オーバーホールは、3人のメカニックによりヘッド周辺、クランク・ケースとコンロッド周辺、スーパーチャージャー周辺と、分業体制が敷かれ、組み立てからテストまで2ヵ月ほどで完了する。パーツも豊富に揃っているため（高価であるが……）、この先、数十年間は供給に困ることはない。P-51、スピットファイアなどに搭載される予定のエンジンを、個人（！）や航空博物館からの依頼で、年間15～20基程度のオーバーホールをこなしている。またリノ・エアレースのアンリミテッド（無制限）クラスでも使用されているため、チューニングされた一味違うマーリン・サウンドを、しばしば楽しむこともできる。まさしく大戦機レストアの王道を往くエンジンである。

パッカードV-1650-7 マーリン

オーナーの意向で、赤く塗装されたV-1650-7。P-51マスタング用である。メッキされたカム・カバーが、いかにもアメリカン・テイストに溢れている。ノーズ・ケース上のバナナ状のパーツは、冷却水のヘッダータンクだ。ボア×ストロークを変更せず、主に過給機の改良で性能向上を図ったマーリンには、様々なバージョンが存在し、あらゆる機体に搭載された。

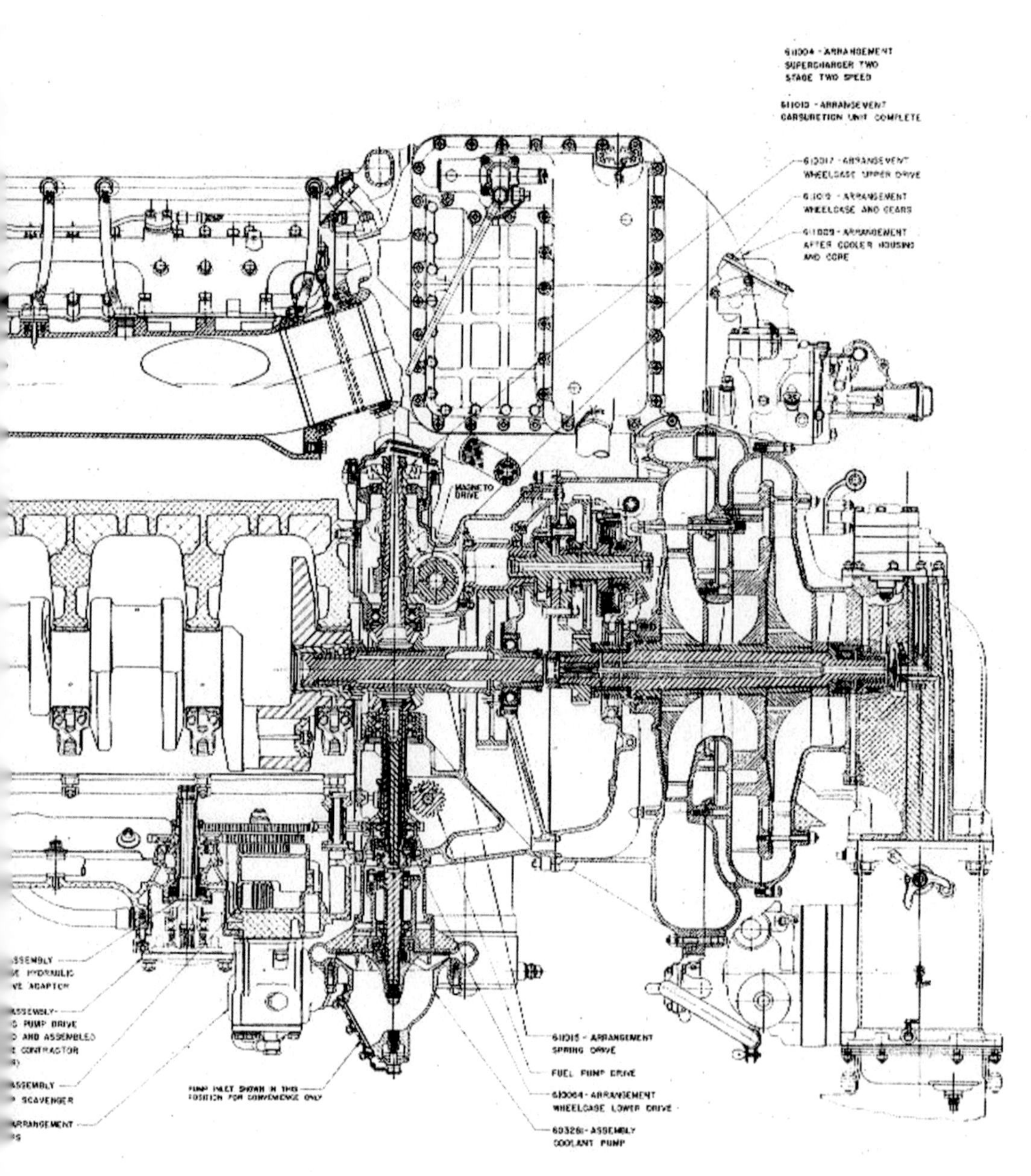

ボア×ストロークは114×165㎜にまとめ上げられた。さらに1915年頃より、2種類の直列6気筒、ボア×ストロークを変更したV12気筒エンジンの開発が、次々に進められた。これらのエンジンは、”イーグル“、”ホーク“、”ファルコン“と名付けられ、段階的に馬力を上げていく堅実な開発で、戦時中の重要な英空軍戦闘機に搭載された。こうして1920年代になると航空エンジンは、ロールスロイス社にとって自動車と並ぶ、重要な部門に成長を遂げたのである。その後も航空エンジンの開発は、精力的に進められ”コンドル“（”イーグル“のスケールアップ版）、”F“（後のケストレル）、”H“（”F“の大型版で後の”バザード“）、”R“（”H“のシュナイダー・トロフィー・レース用）と続くのである。特にシュナイダー・トロフィー用エンジンの経験は、ラム圧吸入ダクトと過給機に、格段の進歩をもたらした。

1933年にロイスは、マーリンの設計に着手する。その原型となる水冷V型12気筒エンジンは、PV12と呼ばれ、開発の初期段階では倒立V型エンジンとしてデザインされていたが、ロイスの意向により正立設計に戻された。このエンジンは、排気量27・04リッター、ボア×ストロークは137・2×152・4㎜にまとまり、625馬力でスタートした後、1030馬力まで出力を向上させて、1936年には型式テストに合格し、晴れてマーリンIと命名され生産に移された。翌1937年には、改良型マーリンIIが量産され、

Reciprocating Engine

Rolls-Royce Merlin

Chapter ▸▸ 03

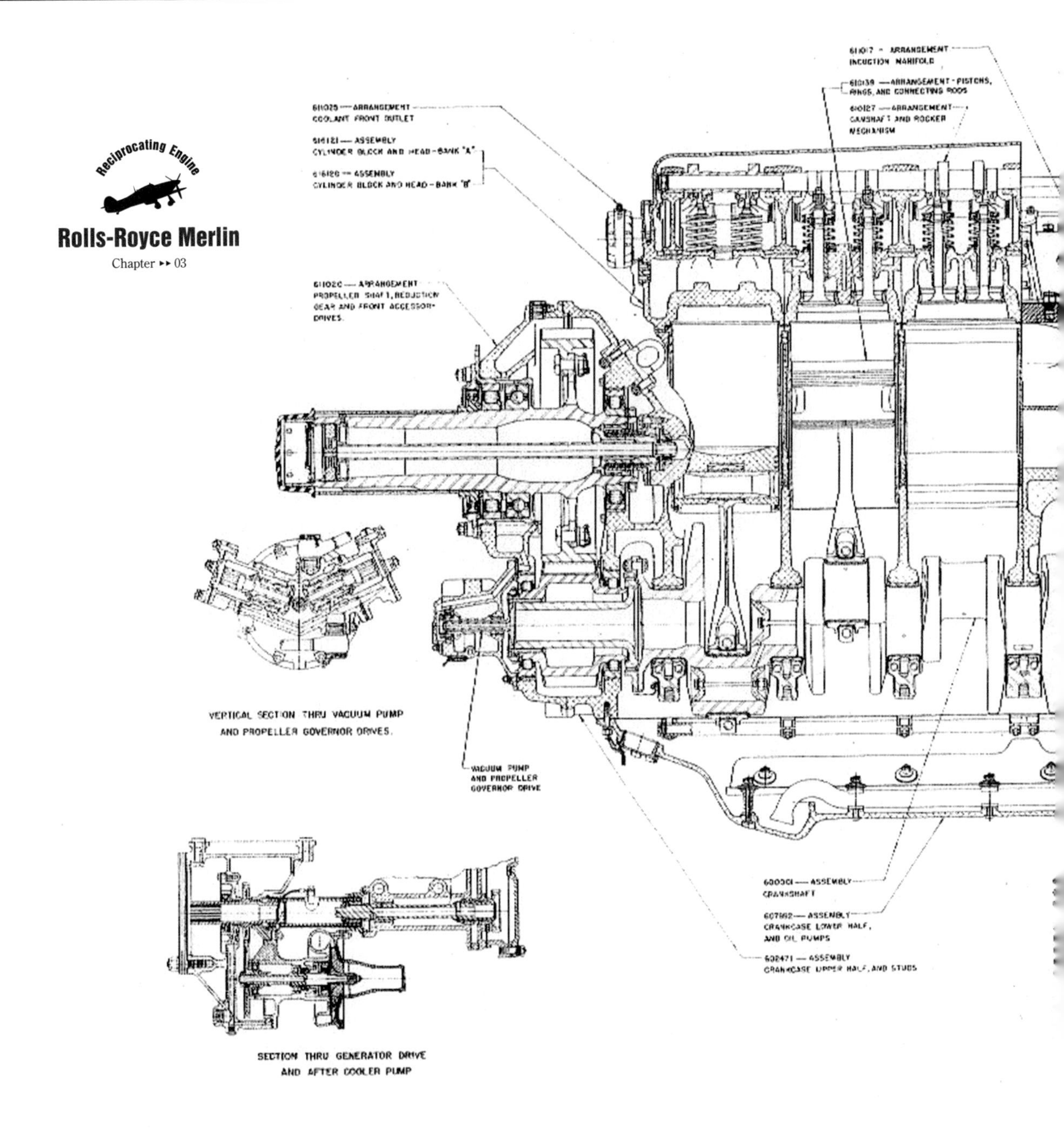

●1段1速過給機マーリンと主な搭載機種

マーリンI …………	バトル
マーリンII …………	スピットファイアMk.I/ハリケーン/バトル
マーリンXII/30 …	スピットファイアMk.II/バラクーダ
マーリン45/46 …	スピットファイアMk.V

●1段2速過給機マーリンと主な搭載機種

マーリンX ………	ホイットレー/ウエリントン/ハリファックス
マーリンXX ………	ハリケーン/ランカスター/ボーファイター/モスキート/ハリファックス

●2段2速アフター・クーラー付き過給機マーリンと主な搭載機種

マーリン61/64 …………	スピットファイアMk.IX
マーリン66/70/76/85…	スピットファイアMk.IX/モスキート
マーリン100シリーズ ……	モスキート
マーリン130シリーズ ……	ホーネット

Rolls-Royce Griffon

Specifications

液冷正立60度V型12気筒	
排気量：	36.7ℓ
ボア×ストローク：	152.4×167.64mm
圧縮比：	6.0：1
減速比：	1：2.217
全長：	2,253mm
全幅：	781mm
エンジン乾燥重量：	940kg
過給機：	遠心式2段2速アフタークーラー付
離昇出力：	1,720hp@2,750rpm

この後もマーリンX型が登場するなど、たゆみない改良と進化が続いたのである。

とはいえマーリンは、開発初期から様々なトラブルに見舞われたが、ハイブスが中心となって精力的に開発を推進し、難題を克服していった。そしてマーリンは、イギリス軍（航空機以外にも戦車や魚雷艇などに搭載された）にとって、必要不可欠なエンジンとなったのだ。やがて1938年にロールスロイス社は、空気力学者スタンレー・フーカー博士を雇い入れる。彼の設計した新たなアフター・クーラー付き2段2速過給機は、マーリンを劇的に進化させた。これがマーリン60シリーズで、1941年から実戦投入され、ドイツ空軍新鋭戦闘機フォッケウルフFw190に苦戦を強いられていた、スピットファイアの救世主となった。戦時中、ロールスロイス社はマーリンの生産に重点を置き、主に過給機の改良によって、出力向上に努めた。そして高オクタン価のガソリンを入手できたこともあり、マーリンはその性能を遺憾なく発揮することができ、大戦全期間を通じて大活躍したのである。

またマーリンは、米国パッカード社でもライセンス生産され、総生産数16万8000余基のうち55523基が、米国名V-1650として生産されたのだ。またパッカード社は、基本骨格を変えることなく、ロールスロイス社とは違った方向で、改良やチューニング、デザイン変更を行い、性能向上を図った。この米国製マーリンは、ノースアメリカンP-51マスタングに搭載され、その性能を著しく向上させた逸話は、よく知られるところである。

大戦終了後から木箱に収納されたまま、倉庫の片隅に眠っていたグリフォンを開封する。腐った木、古いグリス、ガソリンの匂いが鼻をつく。大戦機エンジンを大空に還す第一歩は、いつもこの匂いと共にある。グリフォンは低高度雷撃機用として、マーリンと並行して1939年から開発が始まった。マーリンのスケールアップ版といえる（ベース・エンジンはバザード）。カム・シャフトとマグネトーの駆動部を、エンジン前方に移し、中空クランク・シャフトからメイン・ベアリング、コンロッド大端部を、給油する方式にした点が、マーリンと大きく異なる部分である（後期型マーリン、パッカード製マーリンは、グリフォンと同仕様になった）。プロペラ回転方向が、マーリンとは逆になるため、離陸操作でパイロットは苦労させられたそうだが、二重反転プロペラの採用で、この問題は解決をみた。グリフォンにも様々な派生型が存在する。多く手掛けるのは、60シリーズだ。とはいえ昨今、グリフォンの依頼が少ないのは残念である。レース用チューニングを施せば、スタンダードに対して1,000馬力近くも出力向上が果たせるポテンシャルを備えた、最強の液冷V型エンジンといえるだろう。ただし扱いがデリケートなことが難点だ。

ロールスロイス・グリフォン

カム・シャフト駆動が前方に移ったため、カム・カバーが大きく張り出している。マーリンとの識別点のひとつだ。また前方に移ったマグネトーが目をひく。ワイヤー・ハーネス配管も短くなり、グリフォンの方が整備性は良い。このエンジンは初期型なので、二重反転ペラを装着できるプロペラ・シャフトにはなっていない。

テスト・ベンチに架装したマーリン

2人の専属メカニックにより、2時間ほどでセット・アップは完了する。合計4時間のテスト・ランを行う。DBシリーズに比べると、ちょっとガサついた感じの排気音である。点火タイミングの違いのせいかもしれない。フロート式のキャブレターか、インジェクション・キャブレターかで、始動から初爆までの時間が、少し変わるようである。

リノ・エアレース用マーリン

このエンジンは、V-1650ベースのアンリミテッド・クラス用レーシング・エンジンである。無塗装の外観が、かえって凄みを発散している。シリンダー・ヘッドを構成するパーツは、基本的にはスタンダードだ。カム・シャフトは、バルブ・タイミングとデュレーション変更を行い、吸気アフター・クーラーを廃止して、ダイレクト・インテーク・パイプを新造、水噴射で対応している。クランク・シャフトは、カウンター・ウエイトを増量した仕様もある。スーパーチャージャーは、高高度を飛行しないため1速のみ。ピストンはレース用鍛造軽量品に交換し、コンロッドはアリソンV-1710用（軸間が長くマーリンより剛性が高い）を使用する。Vバンク間には補強ガセット設け、ジェネレーターおよびマグネトーは、改造して信頼性を向上させている。

Rolls-Royce Merlin

Chapter ▸▸ 03

Piston

ピストン

ピストン

新規製作したV-1650用ピストン。これは運転後に検査で分解した状態。オーバーホールの年間台数とエアレースでの使用も考慮して、ピストンを製作した。パワーを受ける最重要部品なので、やはりピストンはリングも含めて最新のデザインと材料で作った方が信頼性は高い。またピストン・サイズのコントロールがやりやすく、適正クリアランスを取ることができる。

耐久性を上げた現行ピストンは、交換時期が大幅に伸びた。ピンの保持をCクリップからフローティング・ボタン式に変更、ピストン・スカートのスリッパー・タイプは採用しなかった。

ロールスロイス製オリジナル・ピストン2種。左が初期型、右が後期型。比較すると格段の進歩が見られる。新品を入手できることはまずないが、まだ使用限度が来ておらず、過度にストレスがかかる飛行を行わなければ、オリジナル・ピストンも使用可能である。

Crank Shaft

クランク・シャフト

クランク・シャフト

非常に美しい仕上がりをみせるクランク・シャフト。カウンター・ウエイトは薄く、DBのゴツいクランク・シャフトと比較すると、全体的に華奢な印象を受ける。エンジニアの思考の違いが表れているといえよう。クランク・ピン径は70.5㎜、メイン・ジャーナル径は85.0㎜で、DBよりひとまわり小さく、幅も狭い。改良が進み高高度性能（馬力が向上）が上がっても、大きな問題が出なかったわけだから、材質も含めてこれら基本部品が、しっかり設計できていた証拠である。ただしエアレースで使用するには、バランス率と剛性に問題があるようだ。

コンロッドの組立てが終了してエンジンへの組み込みを待つクランク・シャフト・アッシー。

クランク・ピン端が、解放されている。この内部には、遠心力でスラッジが溜まるので、洗浄するためにプラグを外してある。DBはプラグを圧入してあるだけだが、マーリンは貫通ボルトとナットで取り付けてあり、メンテナンスが容易だ。

左がマーリン用、右がケストレル用である。ケストレル用クランク・シャフトは、カウンター・ウエイトを設けていないのが興味深い。マーリンとケストレルは、同じ液冷V型12気筒でもボア径、クランク・ピン径、回転数も違うので、エンジン本体の振動、クランク・ピン・ベアリングへの荷重に配慮したということだろう。エアレース用クランク・シャフトでは、カウンター・ウエイトの厚みを増した物もあり、操縦したパイロットによれば、アイドル回転がスムースで、回転上昇も速く、振動も軽減されるとのことだ。

Crank Case

クランク・ケース

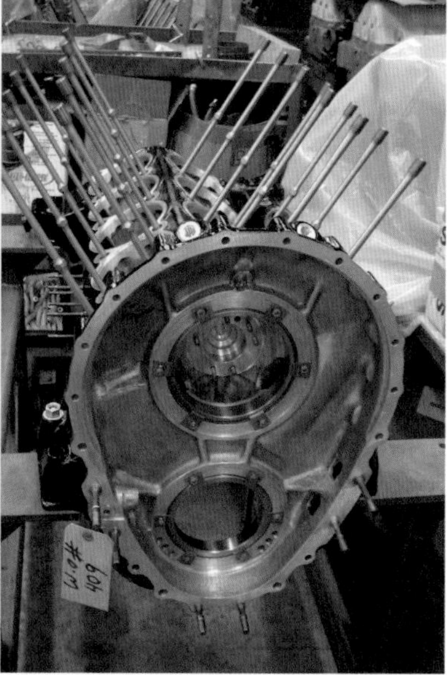

クランク・ケース

贅肉をそぎ落とした、シャープなデザインのクランク・ケース。かなりの薄肉に鋳造されており、DBと比較すると華奢な印象が際立つ。鋳肌はきれいな仕上がりを見せる。シュナイダー・カップ・レースから、脈々と続く一連のクランクケース・デザインの最終形といえるだろう。長いスタッド・ボルトが印象的だ。スタッド・ボルトは、磁気クラック検査を受けたうえで、不良品は交換する。ノーズ・ケース部の小ささが目をひくが、エアレースで使用する場合は、この部分の剛性が不足しているようで、ガセットをVバンクに組み込むのが定番改造だ。

クランク・シャフトとコンロッド・アッシーが組み込まれると、極限までスリムに作られていることが、さらに強調されるようだ。

クランク・ケース後部

エンジン後部には、スーパーチャージャー・ユニット、アフター・クーラーなどを装着するため、スターターや補機などの駆動が、横へ逃げるように配置されている。ケース内下部に見えるギアは、オイルポンプの駆動ギアだ。

クランク・シャフト・メイン・ベアリング部

一ヵ所2本のスタッド・ボルトで、ベアリング・ハウジングを締め付ける。ナット締め付けトルクは11.7kgf・m。ベアリングの幅はDBより狭い。ケース補強の入れ方、形状が独特だ。左の6孔にパイプが取り付き、メイン・ベアリングにオイル供給を行う。後期型では廃止され、クランク・シャフト中心からの給油に変更される。

オイル・パン

クランク・ケース下部に装着するオイル・パンには、オイル回収ポンプが配置されている。駆動ギア、オイル・スクリーン、オイル・ポンプの排出ギアが見てとれる。

メイン・ベアリング

DB605と比べて、格段に薄いベアリング。クランク・シャフト軸径、周速、材質などが違うため一概にはいえないが、この辺りの技術力は、イギリスのほうが上か……と思いきやユンカース製ユモ213のメイン・ベアリングは、マーリンにそっくり。先端技術がしのぎを削り合っていると、似たような形状になっていくのであろう。基礎的技術力、工業力の水準が、つくづく大事なことだと実感できる部品のひとつだ。

Cylinder Head

シリンダー・ヘッド

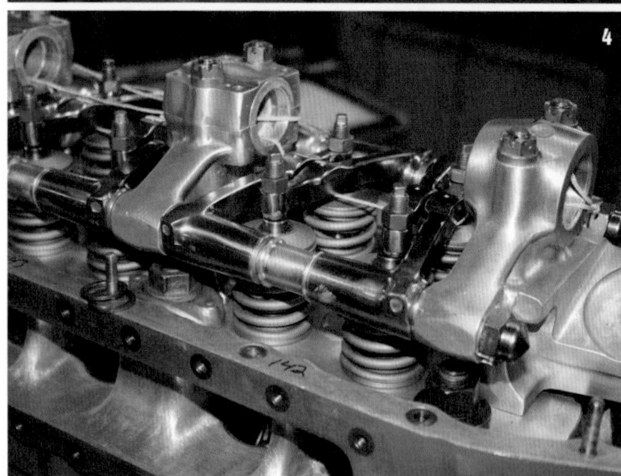

3

シリンダー・ヘッド

シリンダー・ヘッドを締め付けているナットが見える。ナットの下には、小判型の特殊ロックタブ・ワッシャーが入り、ナットの緩みを防止する。

4

カム・シャフトとロッカー・アーム

ヘッド本体とカム・シャフト、ロッカー・アーム・キャリアが、それぞれ別体構造となっている。巧なロッカー・アームの配置が明確に理解できるだろう。シングル・カムの4バルブだが、DBシリーズとは異なり、吸排気別にカム山を持っている。ロッカー・アームは応力集中を避けるため、磨き上げられており非常に美しい。ロッカー・アームのサイド・クリアランスは、厳密に調整しないとオイル漏れが多くなり、不調の原因となるので注意が必要だ。黄色い糸は、フラフラして組みにくいロッカー・アームを押さえておく裏ワザだ。

1

シリンダー・ヘッド

横に開いた楕円穴は、エキゾースト・ポート。ヘッド本体はアルミニウム鋳造製で、非常にきれいに仕上がっている。相対的にドイツよりイギリスの鋳造物の方が、表面加工は綺麗かもしれない。ポートに段差はなく、入念な作り込みが目をひく。

2

シリンダー・ヘッド

バルブ系パーツとインテーク・パイプが組み込まれた状態のシリンダー・ヘッドを、上方より見る。インテーク、エキゾースト・バルブは、ともに垂直に配置されている。DBシリーズとは基本構造が異なり、ヘッドとシリンダー・ブロックは別体のため、バルブ系の組み立て、バルブ・シートのカッティング加工などは容易である。ロールスロイスでは、エンジン後方より見て右側をA、左側をBバンクと呼称する。

カム・シャフト・ドライブ機構

カム・シャフトはエンジン下部からベベル・ギアで駆動され、同軸で連結されたスパー・ギアがアクセサリー類（真空ポンプまたはタコメーター・ドライブ）を駆動する。

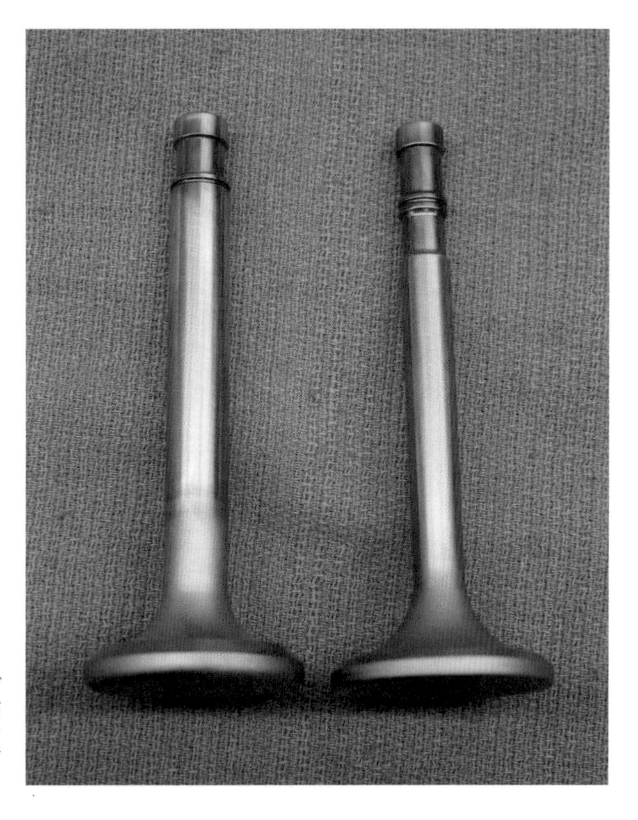

ロッカー・アーム

右のスクリューでタペット・クリアランスを調整する。カム・ローブとの接触面は剥離することがあり、マーリンの泣き所である。材質か、カム・プロフィールか、レバー比の問題か？検証してみたいところだ。エアレース用では、オリジナル面を新たに加工し直して使用する。本体中央には、ドリルで油孔（ロッカー・アーム・シャフトからオイルを供給）を加工しており、カム・ローブ面を潤滑する。

吸排気バルブ

バルブ径は吸気側が47.5㎜、排気側は46㎜。バルブ・ステム径は吸気側が11㎜、排気側は14㎜。排気バルブは冷却のため、ナトリウム封入タイプだ。シリンダー内へ脱落防止ため、ステム端部にクリップを装着するので、手間のかかった加工が施されている。

燃焼室

初期型（左）の燃焼室周辺に、溝加工されているのが確認できるだろうか。ここに銅のシール・リングが入り、圧縮漏れを防止する。後期型（右）は周辺が平坦になり、ヘッド全面の銅系コーティングで対応している。マーリンは開発当初から水漏れ、ヘッドの亀裂などトラブルに悩まされたようで、様々な試行錯誤を繰り返したと想像される。燃焼室形状は初期、後期とも変わりはない。円盤状ともいえる燃焼室は磨き上げられており、少しでもバルブのマスク・エリアを減らそうと、シート・フェイス外周を加工している。燃焼速度を高めるため、スパーク・プラグは吸気側と排気側の側面に、各1本ずつ配置されている。

1

カム・ローブ

バルブ・タイミングは吸気開き31° BTDC（上死点前）、閉じ52° ABDC（下死点後）、排気開き72° BBDC（下死点前）、閉じ12° ATDC（上死点後）、バルブ・リフト量は、吸排気とも14.9㎜。タペット・クリアランスは、吸気側0.38㎜、排気側0.5㎜となる。

2

シリンダー・ヘッドのカット・モデル

バルブ・シートのねじ込み、薄肉のシリンダー・ライナー構造がよく解る。エンジン・オーバーホール以外にも、航空博物館向けのカット・モデル製作を行うこともある。図面でしか確認できない部分が、直に見ることができるため、カット・モデル製作は貴重な機会である。

3

シリンダー・ライナーは、シリンダー・ブロックに挿入され水路とのシールは、ラバー・リングにより保持される。このライナーは燃焼室への合わせ面が、平面加工された後期型マーリン用だ。

4

ライナー・ボアおよびシリンダー・ブロック側ボアのホーニングは、このように行う。特殊な工具・装置類は必要ない。汎用ホーニング・マシンで対応可能なのだ。

Rolls-Royce Merlin

Chapter ▸▸ 03

Cylinder Head

クランク・ケースへの搭載を待つシリンダー・ヘッド

カム・シャフト、バルブ系パーツが組み込まれ、シリンダー・ブロックとの合体が終了した状態。シリンダー・ブロック下部に取り付けられた金属製の治具は、ヘッドとブロックのアライメントを調整する。シール、Oリングなどが、ズレるのを防ぐためだ。この治具には握りがついており、2人で持ち運ぶのが容易で、保管も簡単に行える。

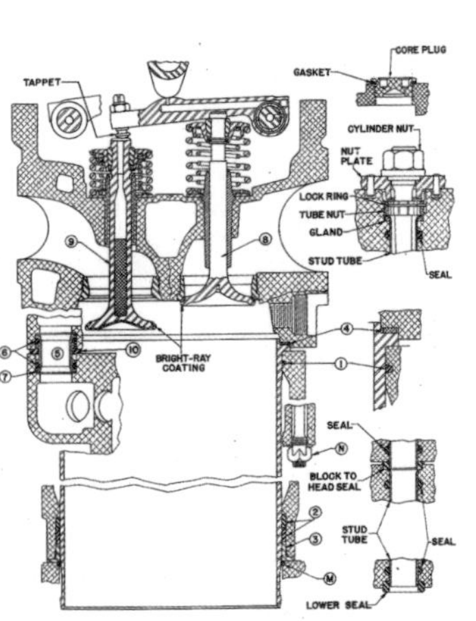

シリンダー・ヘッドの断面図

マーリン66（V1650-7）のシリンダー・ヘッド図面。多数のシールが確認できる。ここに到達するまで水漏れ、オイル漏れ、燃焼ガスの漏れには、かなり悩まされたのではないかと推察される。この図面のシリンダー・ライナーは、初期型で燃焼室との合わせ面に、シール・リングが入るタイプだ。実際、修復にも手間のかかる箇所であり、資金面で折り合いがつくならば、後期型ライナーに変更するほうが得策だろう。

1

2

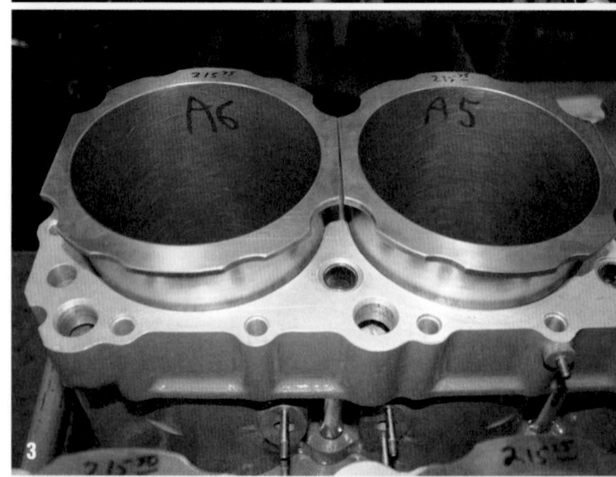

3

4

Rolls-Royce Merlin

Chapter ▸▸ 03

Connecting Rod

コンロッド

コンロッドはフォーク&ブレード(インナー)ロッド式で、この時代の航空機用V型エンジンのスタンダードである。棹の形状はI断面で、フォーク・ロッドはDBシリーズの棹形状のような凝った形状ではなく、インナー・ロッドの逃げを、大端部を湾曲させることで対応している。大端合わせ面は波形状ではなく、単純なストレート仕上げ。小端にフローティング・ブッシュが挿入される。このコンロッド・セットは鏡面仕上げではなく、ブラスト仕上げなので、表面がくすんで見える。戦争が推移するにつれ、全面鏡面加工は省略されていったようだ。

コンロッド・ボルト

フォーク・ロッドとインナー・ロッドでは、ネジ径が異なる。またDBシリーズのボルトとは、まったく違った方向性でデザインされている。コンロッド・ボルトは、エンジンの最重要部品であり、その違いが実に興味深い。締め付けトルクは、フォーク・ロッドが3.25kgf・m　インナー・ロッドが6.9kgf・mだ。

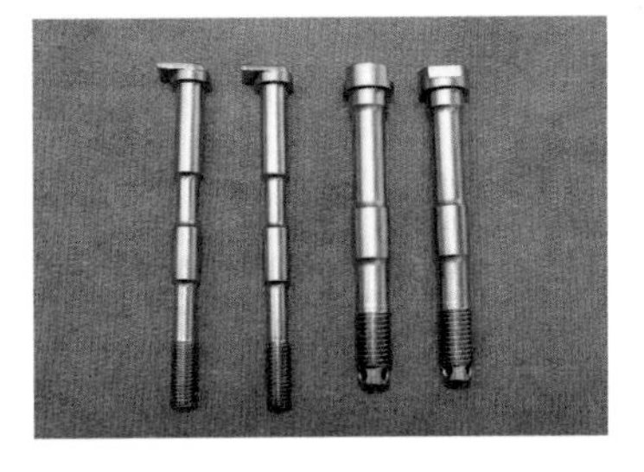

Super Charger

過給器

エンジン後部

マーリンの性能を、大幅に向上させたスーパーチャージャー（過給器）とクーラー・ユニット（赤い箱）が見える。DBシリーズに比べて、クランク・ケース周辺はスリムだが、エンジン後部はボリュームがあり、その迫力と存在感は圧倒的だ。アネロイド・カプセルを使用し、リンク＆ロッドを介して適正ブーストに調整する機構を備える。張り巡らされたロッドの長さとリンクの角度などは、マニュアル指示値に調整しないと、正確な作動が得られないため、細かく慎重な作業が要求される。マーリンの整備で一番部品点数が多く、繊細な作業が要求される部分だ。なおこのエンジンは、まだキャブレターを装着していない状態である。混合気は右下から導かれるアップ・ドラフト・スタイル（昇流式）だ。

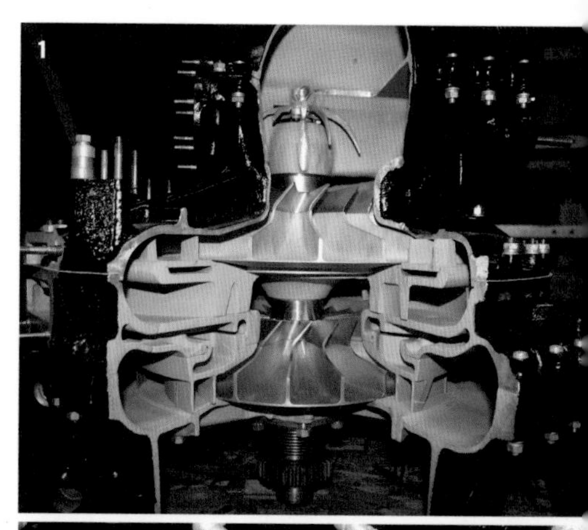

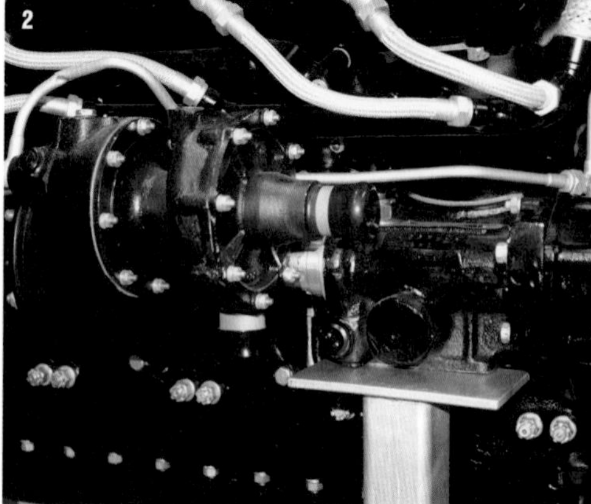

1

スーパーチャージャーのカット・モデル

2段式の構造がよく解る。混合気は上方より導かれ、インペラーで加圧される。このシステムがアフタークーラーと相まって、マーリンを傑作エンジンへと導いたのだ。

2

エンジン側面の配置された、アフタークーラー用の冷却液ポンプ。

スーパーチャージャーのシフト機構が収まるケース。補機のドライブ・ギアも組み込まれる。

スーパーチャージャー・シフト・ハウジングには、クラッチが組み込まれた3軸構成のシフト・ギアが内蔵されている。

Carburetor

キャブレター

マーリン用キャブレター

SU製のフロート式ツイン・バレル・キャブレター。アネロイド・カプセルにより、ブーストと大気圧を検知して、燃料流量をコントロールする。上がスーパーチャージャーに装着する側。冷却液（液温が上がった状態）がハウジングの一部を巡回して、アイシング（氷結）を防止する。ここが腐食している場合が多く、分解時の鬼門だ。

全開状態のスロットル・バルブ

奥に見えるのは燃料噴出パイプ。スロットル・バルブ内は中空構造になっており、センター・シャフトを介して、アイシング防止にエンジン・オイルが流れる構造となっている。なおセンター・シャフトへスロットル・バルブを取り付けるボルトとナットの頭が、エア通路に飛び出ているのは、ロールスロイスらしからぬデザインだと思う。

組み立てを待つキャブレター

構造は2分割。フロート室と検量室に分かれる。複雑な形状をしてはいるが、構造はいたってシンプルである。ガスケットの厚みで、調整する箇所の動きが変化してしまうこともあるので、オリジナルのガスケットも、重要な資料として保管しておき、組み立て時の参考とする。

ストロンバーグ製インジェクション・キャブレター

他にベンデックス製インジェクション・キャブレターも存在する。DBシリーズのダイレクト・インジェクションように、凝った作りではないがメカニカル・リンク、アネロイドを用いて充分な働きをする。標準で要求されるオクタン価は100グレード。マーリンが最高の性能を発揮したひとつ要因に、安定した高品質ガソリンの供給があったことを忘れてはならない。

フロート

コルク製フロートが、はっきりと見える。フロートは例外なくコルク製だ。乾燥してひび割れていたりすることが多く、修理はドープ剤でコーティングを施す。もちろんテスト・リグを使って、フロート・レベルを適正値に較正することはいうまでもない。

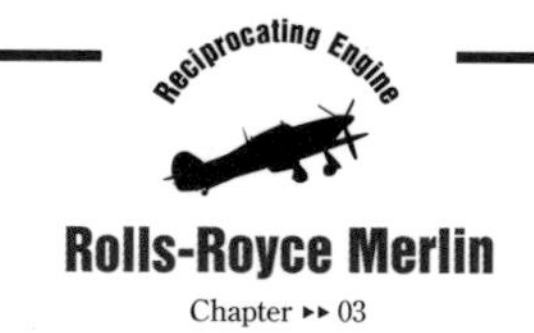

Rolls-Royce Merlin

Chapter ▸▸ 03

Magneto

点火系統

マグネトー

マーリンのマグネトーは、エンジンの左右に1個ずつ配置される。DBシリーズと比べて、小型でスリムな作り。点火時期は左用（エキゾースト側プラグ）が50° BTDC(上死点前)、右用(インテーク側プラグ）が45° BTDCで、燃焼速度の違いを補うため、時間差を設けている。また配線コネクションとデストリビューター部が、焼損している場合が多く注意が必要だ。グリフォンもツイン・デストリビューターだが、マグネトー本体は1個で、エンジン前方に移したため、メンテナンス性は大幅に向上している。

オーバーホールの済んだマグネトーを、テスターにセットしてスパーク試験を行う。コンタクト・ブレーカーのギャップは、0.27～0.35㎜に合わせる。

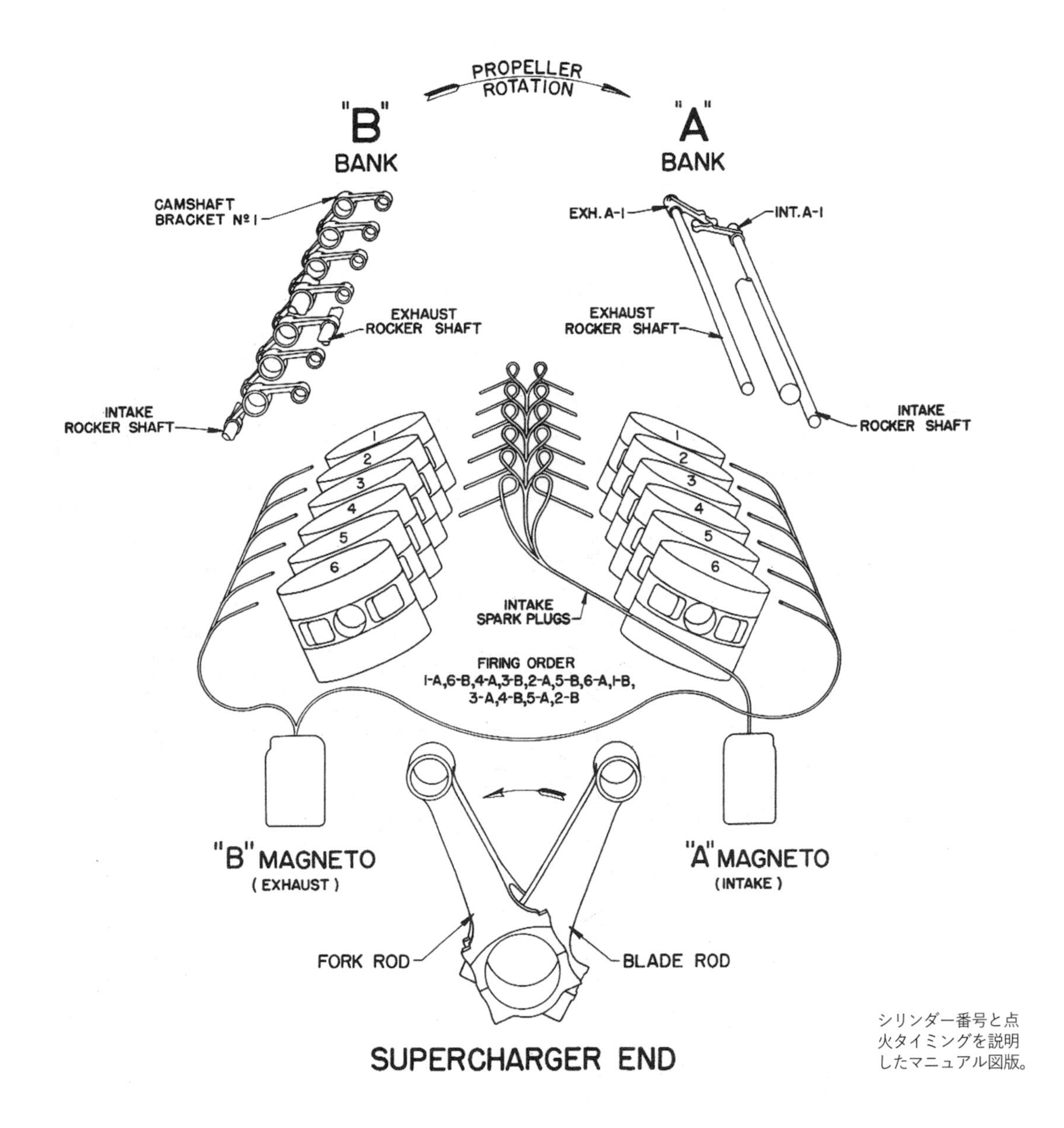

シリンダー番号と点火タイミングを説明したマニュアル図版。

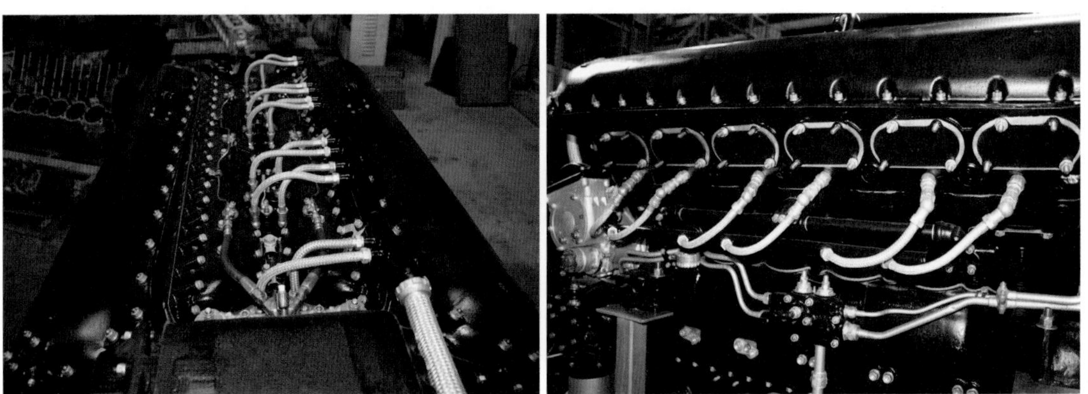

スパーク・プラグへのハイテンション・コードは、エンジン側面とVバンク間の両方から供給される。特にVバンク内は狭く、メンテナンスはやりにくい。DBシリーズはエンジン外側面から、すべてのスパーク・プラグへアクセスできるため、レイアウト的にはDBシリーズの“勝ち”である。

Column 03

足りない部品はどうする?

整備が完了して、テストランを待つDB605を後方から見た状態。レストア前と後では、とても同じDB605とは思えないだろう。新たに命が吹き込まれた、まさに機械遺産である。

整備前の見るも無残なDB605を後方から見た状態。半分地中に埋まっていたらしく、インテーク・パイプ内には泥、土が詰まっていた。カバー類も腐食して、欠落している部分が多かった。

古い自動車やモーター・サイクルをレストアする時、破損部品や交換部品を、いかに調達するかが悩みの種となる。それが希少車であれば、なおさらだろう。その辺りの事情は、大戦機エンジンのレストアにおいても、まったく変わらない。しかも航空機エンジンの場合は、検査をパスした部品しか使用できないので、なおさら困難を極めるのだ。

クランク・ケースやクランク・シャフト、コンロッド、各カバー、ハウジング類など、大物パーツはよほどのことがない限り、そのまま使うことができる。多少のダメージがあっても、修理して使うのが定石だ。ただしマグネシウム製で、腐食が激しい部品はまず使えないため、他を探すしか方法はない。実はこのパターンが、一番、大戦機エンジンのレストアでコストが掛かるのだ。ドイツ製エンジンは、ハウジングやカバーにマグネシウムを多用しているため、そこがレストアで悩みの種になっている。

しかしマーリンのように、戦後はエアレースやボートレースなどに転用され、基数が出回っているエンジンは、ピンキリだが入手はしやすいほうである。とはいっても、ドイツ製であれイギリス製であれ、生産されてから70数年経過しているわけだから、それなりのダメージは蓄積されている。エンジンを問わず共通して多いトラブルは、シリンダーとピストン、ピストン・リング固着、スタッド・ボルトのかじり、オイル・ポンプ・ギヤの腐食といった部分だ。基本方針として、パーツは分解したオリジナル部品を、再使用することにしている。ただしダメージが大きいパーツは

1.新造する、もしくは近似する部品を流用する。ピストン、ピストン・リングはこのパターンで、新品を製作することもある。またオイル・シール、ラバー類、ナット、ボルトは汎用品で対応可能だ。

2.同機種で良品を選別して、スワップする。いわゆるニコイチだ。ジャンクでも破損している物でも、何か使えるかもしれない。どんな物でも、必ず保管しておくことが重要である。

3.再生、修理する。溶接、肉盛り、機械加工、再コーティングなどで対応できる箇所は、これらが基本となる。

4.マニア同士でトレードする。持っている人は、持っているのだ。ネットワークを駆使して、納得できれば交換する。しかしコストアップにつながる場合もあり、話し合いに時間がかかるのがネックである。

といったところを、個々のエンジンの状況に合わせて、何とか形に仕上げていくのだ。大戦機エンジンのレストアは、一筋縄でいくものではないが、そこがまた楽しく、それゆえエンジンに火が入った時の喜びは、格別である。

Chapter ▸▸ 04

Bristol Centaurus

ブリストル・セントーラス

Great Britain

Hawker Sea Fury

ホーカー・シーフューリー

最終世代のレシプロ艦上戦闘機となった複座練習型シーフューリーT Mk.20。開発ベースであるテンペストよりは、ずいぶん洗練されたフォルムになったが、依然として野暮ったさを感じさせるのは、ホーカー社のデザイン・センスだろうか？

Bristol Centaurus

Chapter ▸▸ 04

最終世代の艦上戦闘機
Hawker Sea Fury

2,500馬力の強大なパワーを推力に変換するため、プロペラはロートル製大径5ブレード。巨大なスピンナーが空気抵抗を低減して、700㎞/hオーバーの高速を捻り出す。

ホーカー社は歴史ある名門航空機製造会社だが、実のところ第二次大戦中には、さほど優秀な戦闘機を開発していない。同社の代表作ともいうべきハリケーンは、同世代機スピットファイアの前では、影の薄い存在でしかなかったし、続くタイフーンは頻繁にエンジンから出火するうえ、急降下中に尾部が千切れ飛ぶ欠陥機同然。それを大改修したテンペストも、機動性能が劣悪で、まるっきり空中戦では使い物にならず、対地攻撃専門に回される始末であった。

英国防省の手厚い保護を受けるさしものホーカー社も、この事態を打開すべく、新鋭機の開発に着手せざるを得なくなった。かくしてタイフーン/テンペスト系列を基本に、徹底して小型軽量化と構造の近代化を図った英空軍向けのフューリー、英海軍向けのシーフューリーが誕生した。起死回生を賭けた名門の新鋭機だけに、この両機は掛値なしに高性能だった。だが、第二次大戦の終結により空軍は発注をキャンセル、離着艦事故が頻発するシーファイアに手を焼き、後継機種を模索していた英海軍だけが採用を決めた。とはいえ、原型機は１９４４年に初飛行していたが、実戦配備は１９４７年まで持ち越されたため、第二次大戦で活躍する機会はなかった。実質的な初陣、そして最終戦ともなった朝鮮戦争で、シーフューリーはなんと北朝鮮軍Ｍｉｇ15を、2機も撃墜する大金星を挙げた。それはまさしく、ジェット移行期におけるレシプロ戦闘機、最後の煌めきであった。

上／スリーブ・バルブ機構があやなす、セントーラスの怪奇な造形美。窪ませた胴体側面に単排気管を集合配置することで、排気を効率よく推力に変換する技法は、独フォッケウルフFw190から流用したと推測される。
下／整然と計器類が配置された操縦席は、充分に広くて居住性も良好。独特の環状操縦桿"スペード"は、両腕で力強く操作できる英軍戦闘機の伝統である。

Bristol Centaurus

Chapter ▸▸ 04

Specifications [**Hawker Sea Fury FB.11**]

全長	10.57m	実用上昇限度	10,910m
翼幅	11.70m	航続距離	1,127km
全高	4.84m		1,675km（増槽付）
翼面積	26.01㎡	エンジン	ブリストル・セントーラスMk.18
機体重量	4,191kg		空冷星型複列18気筒
全備重量	5,670kg		最大出力2,520hp
最大速度	740km /h（5,485m）	武装	20mm機関砲×4門
巡航速度	625km /h		454kg爆弾×2発
上昇率	9,200mまで10分48秒		76mmロケット弾×12発

ブリストル・セントーラス 徹底解剖

Bristol Centaurus

Specifications

空冷星型複列18気筒		減速比：	0.444：1
排気量：	53.6ℓ	重量：	1,223kg
ボア×ストローク：	146.05×177.80㎜	離昇出力：	2,520hp@2,700rpm
圧縮比：	7.2：1	外径：	1405㎜
過給形式：	遠心式1段2速		

ブリストル社のエンジン製造は、コスモス・エンジニアリング社が倒産した時点で、ブリストル・エアロプレーン社がその資産を買い取って、1920年にエンジン部門が発足したのが始まりである。その時、エンジニア・チームと一緒に、ブリストル社へ移ってきたのが、技術者ロイ・フェッデンである。フェッデンはコスモス・エンジニアリング社時代より手掛けてきた、空冷星型エンジン〝ジュピター〟の開発を、ブリストル社に移っても精力的に続けて、後に世界16ヵ国でライセンス生産されるまでに育て上げた、優秀なエンジニアである。そしてフェッデンは、常に先鋭的技術へ挑戦したいと考えるエンジニアでもあり、高出力化の一途をたどる次世代エンジンに対応すべく、1926年に新たな設計を開始した。それが十数年の長きにわたって苦闘を繰り広げる、スリーブ・バルブ式空冷星型エンジンの始まりであった。

スリーブ・バルブ・エンジンとは、通常のポペット・バルブ（キノコ形弁）を持たず、シリンダー側面にポート（吸入排気孔）を設け、側面にポートが開いたスリーブを上下作動させることで、吸気・排気を行うエンジンである。1927年に研究用エンジンを完成させたフェッデンは、1932年に実用エンジン〝ペルシューズ〟、その後1933年〝アキュラ〟、1936年〝ハーキュレス〟、1937年〝トーラス〟と、次々にスリーブ・バルブ・エンジンを開発していった。そして集大成ともいうべき〝セントーラス〟は、

テスト・スタンドに架装されたセントーラス

2011年8月、約2年をかけレストアを行い、実働テストを待つセントーラスMk.18。当日は晴天に恵まれ、絶好のテスト日和だった。なかなか初爆が来ず、ヒヤヒヤしたが無事に始動した。キャブレターの地上レベルでの、燃料調整が合っていなかったようだ。5ブレードでの全開運転は、驚くほど排気音が凄まじかった。まさに空気を切り裂いているかのようで、重低音のうなりが耳に残る素晴らしいサウンドだった。心配されたオイル消費は、1時間当たりなんと約3ガロン！（1ガロン≒3.75ℓ）。運転中もオイル補充しながら、テストを継続した。後に新設計のピストン・リングを組み入れることで、オイル消費量の問題は解決をみた。ヘッド周りに整然とならぶエキゾースト・パイプが、非常に印象的だ。前列気筒より2本出しになったパイプは、その後列2気筒分と集合排気になる独特の構造。またシルバーに輝いている部分は、二分割中空構造のカバーで、エキゾースト・パイプを冷却する。シリンダー・ヘッドに装着された黒いカバーは、ヘッド内側に流れる空気を整流して、なおかつスパーク・プラグ高圧コードを、熱害から保護する働きがある。さらに黒いカバーは、エンジン・カウリングとの緩衝材としても機能する。スリーブ・バルブという機構上、スパーク・プラグがどうしても奥まった部分に設置されるため、スパーク・プラグの交換は非常にやりずらい。もう少し、どうにかならなかったものか？　と思うデザインである。

エンジン銘板

1938年に2000馬力で運転が始まり、1942年には2520馬力にまでパワーアップを果たした。そして1944年からホーカー・フューリー／シーフューリーに搭載して試験飛行を繰り返したが、ついに第二次大戦には間に合わなかった。しかしセントーラスは、戦後も1958年まで生産が続けられ、最終世代の空冷星型レシプロエンジンとなったのである。

　航空エンジンに興味のある人なら、『スリーブ・バルブ』と聞いて、心躍らないはずはない（!?）。実は、私もその一人なのだ。現存するスリーブ・バルブ・エンジンで、実働する可能性があるのは、セントーラスしかないのが実情である。とはいえ、セントーラスを目の前にした第一印象は、「初めて手掛けるエンジンだし、さぞや苦労させられるだろうなぁ…」と、いささか心配になったのが正直な気持ちであった。ところが、いったんレストアを始めてみると、複雑で難解な機構であるものの、想像していたより組み立てやすかった。その理由は、マニュアルの内容がしっかりしていることと、各パートごとに組み立て管理が、理解しやすい構造になっていたからである。米国製エンジンのマニュアルも、よく考えて制作されているとは思うが、やはりスリーブ・バルブという特殊な機構のため、詳細な解説、組み立て手順、各パーツの許容値などが、実に細かく指示されているのだ。逆にいえば、徹底して管理しなければ、うまく扱えなかったのではないだろうか。セントーラスが実戦投入できるレベルに到達

エンジン後方

中央部左右にマグネトーが見える。大型で特異な形をしたタイプである。自動進角機構付きで、整備性は重いことを除けば、すこぶる良好だ。垂直に配置されている円筒物は、スターター・モーター。

エンジン左側面

黄色い蓋を被せてある部分が、ブロワーへの吸気孔で左右に一ヵ所ずつ、両側面に配置されている。エキゾースト・パイプ端をまとめているのは、シーフューリー機体外板の一部である。シリンダー・ヘッドがフラットな作りのため、カウリングが隙間なくぴったり装着できる利点がある。

正面から見たシリンダー・バレル

冷却フィンが実に美しい。気筒間にはオフセット配置された、後列シリンダーが見える。

するまで、どれほどのトライ&エラーがあったことだろうか。思いを巡らせると、設計者ロイ・フェッデンをはじめ携わった人々の執念と情熱を、痛切に感じずにはいられない。この前人未踏の大馬力スリーブ・バルブ・エンジンは、実用化されるまでの5年間に、当時の金額で200万ポンド（スピットファイア試作予算のなんと20倍以上！）もの巨費が投入されたといわれている。ブリストル・セントーラスは、ロールスロイス・マーリンとはまた違った意味において、イギリスらしさを体現したエンジンといえるだろう。

　セントーラスはかなり大柄で、各パーツも重い。ライバルとなるBMW801あるいはプラット&ホイットニーR-3350と比較しても迫力、存在感、重量感ともに、それ以上とさえいえるだろう。ドイツ製エンジンに見られる、合理性のあるコンパクト設計とはまったく別物で、スリーブ・バルブ機構を中心に各パートを構成している印象がある。そのためシリンダー周辺パーツ、クランク・ケースの形状や構成は、独特の統一感を持った作りになっている。2014年現在、V.A.E.でレストアを予定しているセントーラスは都合3基。ベルギー、ドイツ、アメリカ各国オーナーからの依頼である。近年はセントーラスが、『ブーム』とさえ思えるほど、レストアの依頼が多い。だから近年中に、セントーラスを搭載したシーフューリーと、航空ショウなどでお目にかかれる機会が増えるだろう。

Bristol Centaurus

Chapter ▶▶ 04

Piston

ピストン

ピストン

これはマスター・ロッド用ピストン。トップ、セカンド、サードリングともに、すべてキーストン・タイプを使用する。スカート部はベロ付き合口のオイル・スクレーパー・リング。ピストン・ピン止めは、C-クリップ・タイプ。コンプレッション・ハイトは60.35㎜で、重量は約2,000 g もある。通常の空冷星型エンジン・ピストンのように、ポペット・バルブの逃げ（掘り込み）を設ける必要がないため、ピストン頂面と燃焼室側とも、フラットにすることができ、圧縮比のコントロールに対して有利であろう。レストア時にカーボン、オイル・スラッジ除去のため、シード・ブラスト（微細な木くずを高圧エアで噴射して清掃）を行ったので、アルミニウムの地肌が見えている。そのため組み立て時には、ピストン全体へグラファイト・コーティングを施してから使用する。ピン・ボス周辺とスカートの一部に残る茶色い部分は、オリジナルの腐食防止コーティングである。

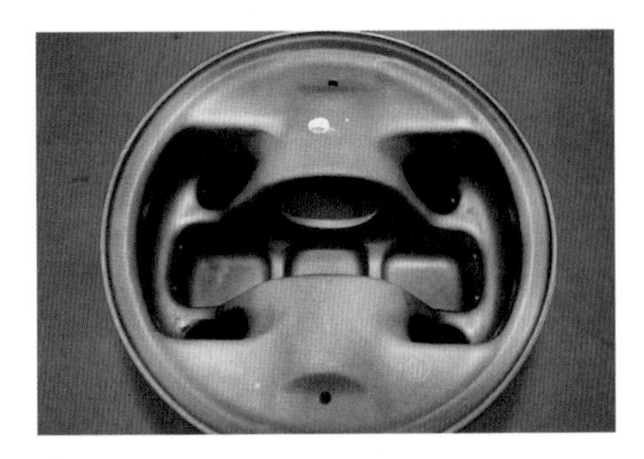

ピストン裏面

非常に綺麗な仕上がりのピストン裏面。ボス周辺の補強造形、天井部のピラー、局部的にシャープ・エッジをつけず、すべてR形状にしておくところなど、隅々まで気をくばった素晴らしいデザインである。

リンク・ロッド用ピストン

サード・ピストン・リングがマスター・ロッド用と違いオイル・リングとなり、その直下にもオイル・リターン孔が加工されている。手前に見えるのがピンクリップとそれを支えるリテーナー。

Cylinder Unit

シリンダー・ユニット

正面から見たシリンダー・バレル

スリーブ・バルブ・エンジンは、1905年にチャールズ・ナイトにより発明されたが、最初のエンジンは重くて複雑な、二重スリーブ機構であった。その後1914年、イギリスで競争試作にスリーブ・バルブ・エンジンが発表された。このエンジンはバート・マッカラン式と称され、単スリーブの上下運動に回転運動も連動させることによって、適正な吸排気タイミングが得られたとされている。一連のブリストル製スリーブ・バルブ・シリーズは、このバート・マッカラン式をベースとしている。これはセントーラスのスリーブ機構3点セット。フェッデンのチームが、苦心惨憺の末、到達した最終形である。左がシリンダー・ヘッドだが、スリーブの内側にはまる蓋といったほうが適当な形状だ。中央がスリーブで、窒化処理が施されている。右のシリンダー・バレルに見える円形孔が排気出口、その反対面にバレル半周にわたり、吸気孔アダプターが取り付けられる。

スリーブ

吸気、排気ポートはパンチング加工後、窒化処理を施して内外径を、センター・レスで同時にホーニング、ラッピングされて完成する。スリーブはスムースに摺動させるため、わずかにテーパー加工されている。

吸排気ポート

スリーブに開いたポートは、吸気と排気で微妙に形状が異なる。吸気開き50° BTDC（上死点前）、同閉じ55° ABDC（下死点後）、排気開き55° BBDC（下死点前） 同閉じ15° ATDC（上死点後）となる。

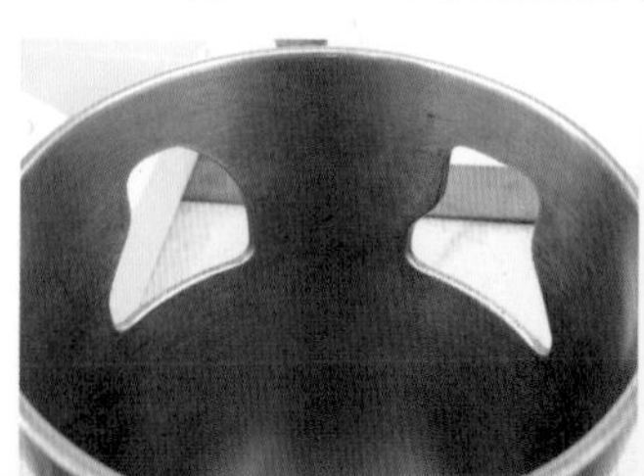

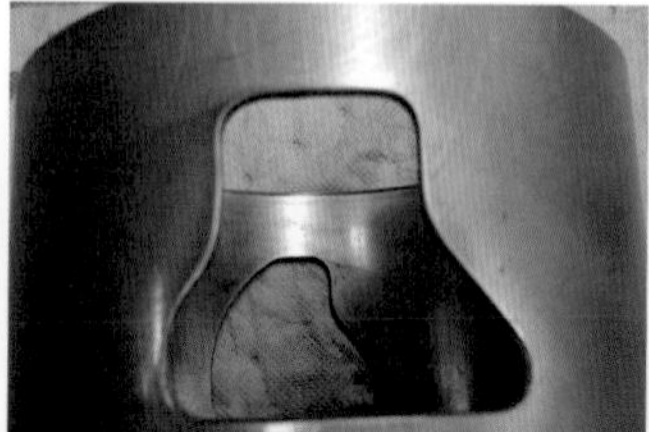

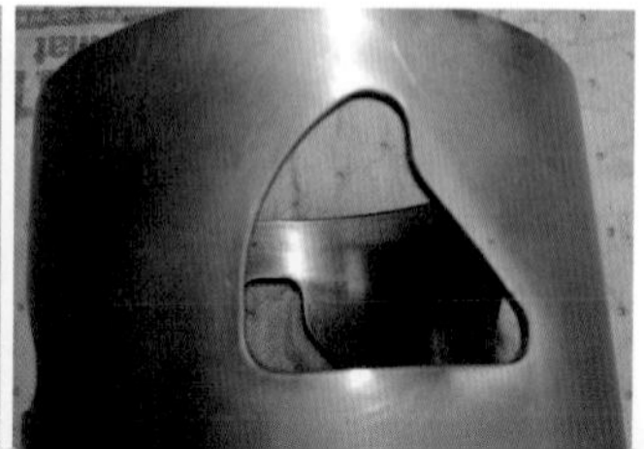

シリンダー・ヘッド上部

中央に見える2孔がスパーク・プラグ孔。その上の小さな突起物は、温度センサーの取り付けボスだ。冷却風はエンジン前方放射状フィンを通過して、ヘッド上部から落ちこむようにスパーク・プラグ周辺に流れ、反転して後方放射状フィンを抜ける構造になっている。底辺部のフィン配置も、やはり徹底している。組み立て時には、ここに金属製の仕切り板が組み込まれるうえ、冷却フィン付きの特殊スパーク・プラグも使うという、念の入れようだ。

シリンダー・ヘッドのスリーブ挿入部

シリンダー・ヘッド底部は、緩くテーパー加工された山形状で、2ヵ所のスパーク・プラグ孔が見える。シール・リングは、段付き合口のキーストン・タイプが2本。胴部分に浅い溝3本が、シーリングのために加工され、また全周にわたって微細な線条が、オイル溜まりとして加工されている。バレルとの合わせ面には、銅系シールが塗布されている。

シリンダー・バレル

シリンダーは高温剛性が優れる、特殊アルミニウム合金鍛造品の削り出し。冷却フィンが美しい。ピッチは3.5㎜、厚さが1㎜、テーパーが2度付けられている。この角度は、吸気側より見た状態。ポートは倣（なら）いミーリング加工とのことだが、手修正が施されている。

シリンダー・バレル排気側

シリンダー・バレル下部

内壁に見える円周方向の溝は、スリーブ外周と摺動するシール・リングの溝。このリングのはまりが実にきつくて、取り付けには苦労する。またシリンダー内壁上部と下部には、わずかにテーパー加工が施されており、スリーブの焼き付きと摺動時に変形の逃げとなっている。スリーブとシリンダーのクリアランスは、径で0.13㎜である。ラバー・リングとシリコン液体ガスケットを、クランク・ケースとの合わせ面に塗布して組み立てる。

スリーブ端とジョイント・パーツ

スリーブ下端にボール・ジョイントが締め付けられ、スリーブ・ドライブ・クランク・シャフトに結合、ギアで駆動される。ジョイント締め付けナット部には、スプリング付き緩み止めがついている。この緩み止めの位置決めを、組み立て前に行っておくと、後の作業が楽に進む。

Bristol Centaurus

Chapter ▸▸ 04

Cylinder Unit

スリーブ・ドライブ・クランク・シャフトとドライブ・ギア・トレーン

ギアはクランク・シャフトからの出力を、3ヵ所のインターミディ・ギアで受け、アイドラ・ギアを介して、隣り合う2気筒分のギアを駆動する。工場出荷時に合いマークが刻印されており、組み立てを間違えると、クランク・シャフトが回転しなくなる。ギアの受けには、ローラー・ベアリングが使用されており、バック・ラッシュ計測箇所が多数あり、組み立てでもっとも気を使うところだ。

スリーブと シリンダー 組み立て状態

ピストンとシリンダーの組み立ては、まずマスター・ロッドから開始するのは、他の空冷星型エンジンと変わらない。バルブ系パーツの組み込みが無い分だけ、シリンダー周辺の組み立ては、一般的な空冷星型エンジンに比べて、時間がかからないといえるだろう。

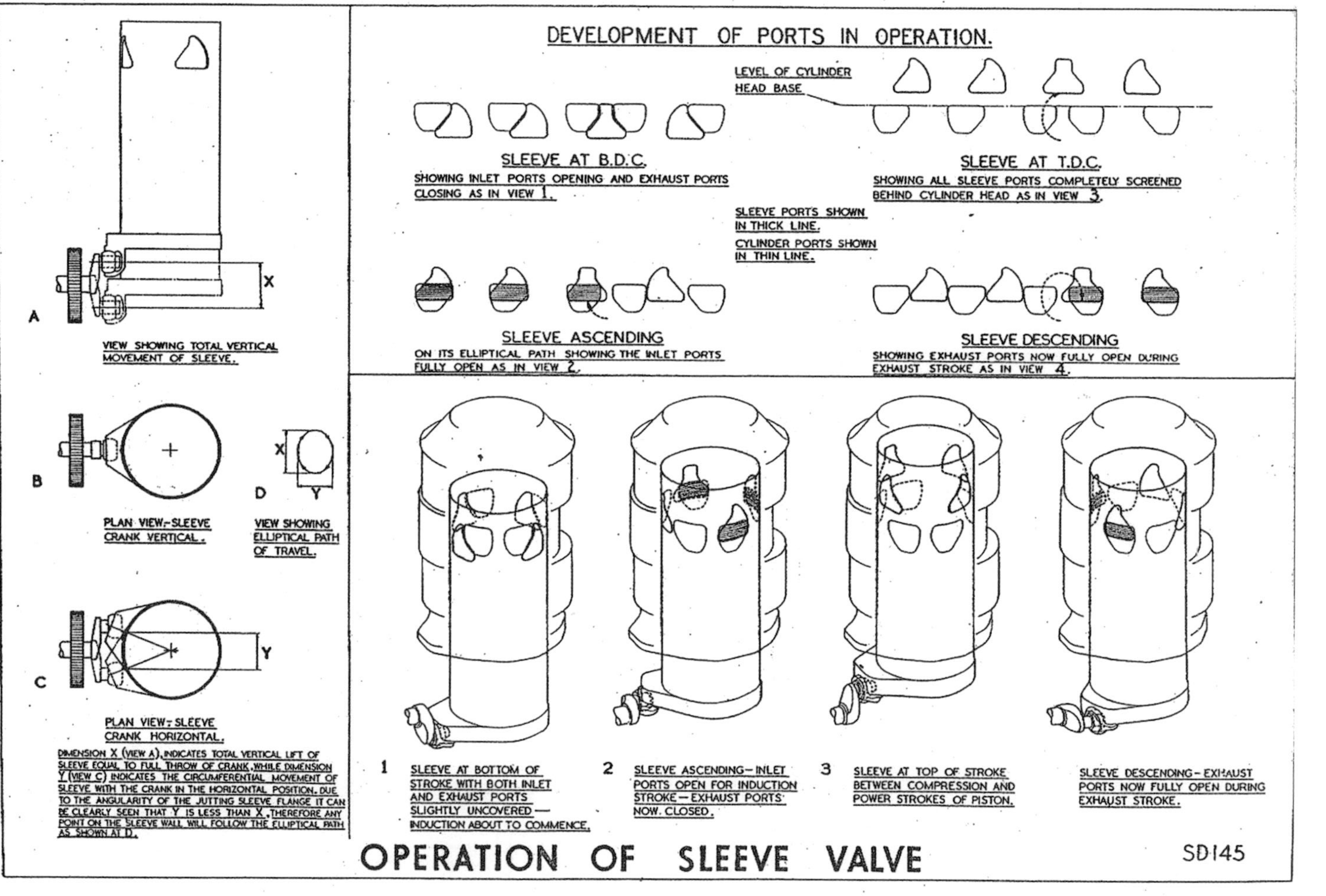

スリーブ・バルブ機構

スリーブの作動を説明するイラスト。1920年代はポペット・バルブ・エンジンの性能向上は限界（バルブ焼損やオイル下がり問題など）に達しており、今後のパワーアップは厳しいという考え方が、定着しつつあった。その打開策が、スリーブ・バルブ機構と考えられていたのである。しかし皮肉なことに、ポペット・バルブ・エンジンは、問題点の解決に目処が立ち、性能が大幅に向上したのである。さらに戦後は、ジェットエンジンの台頭によって、スリーブ・バルブ・エンジンは、凋落の一途を辿ったのである。（エンジン・ハンドブックより）

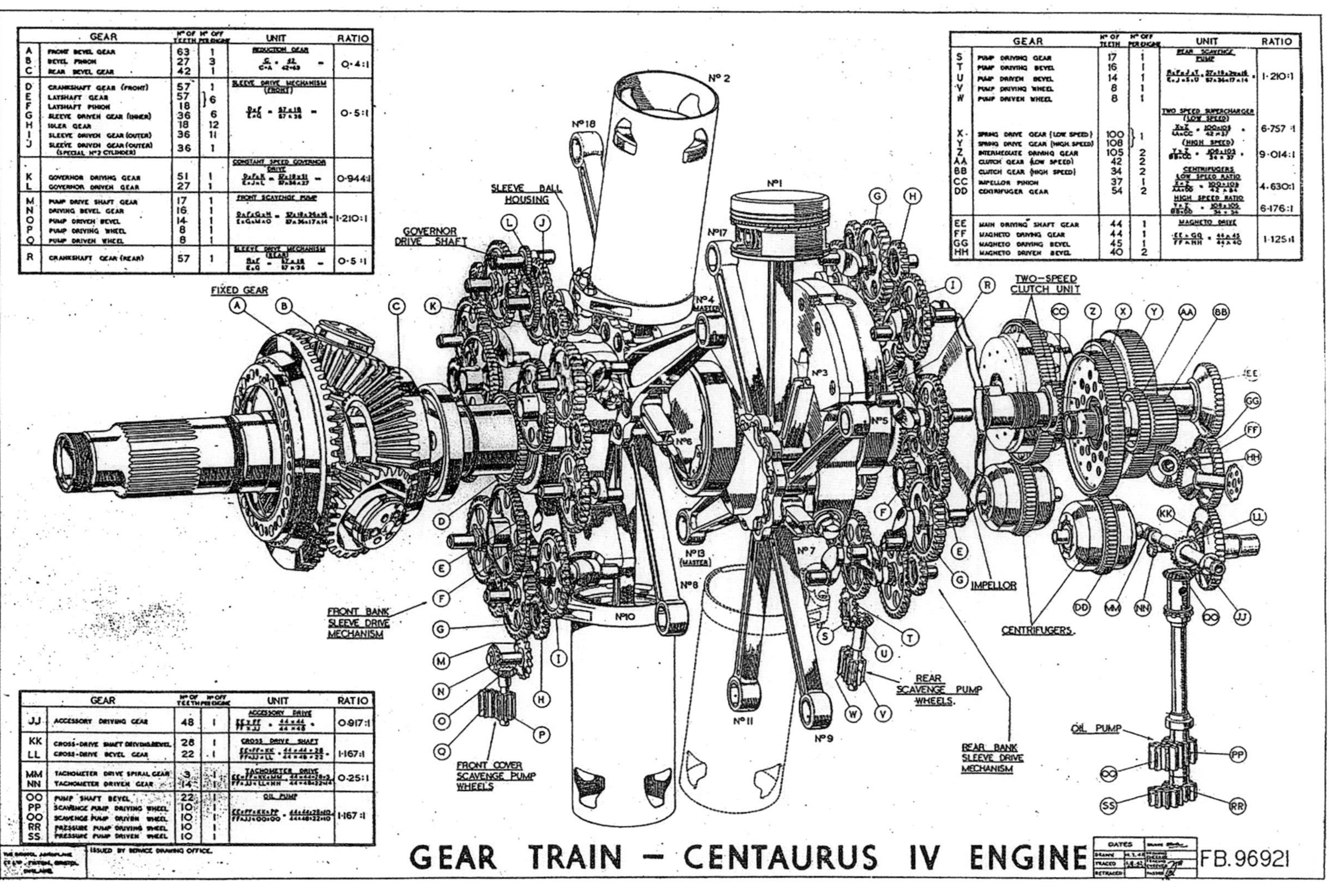

	GEAR	Nº OF TEETH	Nº OFF PER ENGINE	UNIT	RATIO
A	FRONT BEVEL GEAR	63	1	REDUCTION GEAR	
B	BEVEL PINION	27	3	C/(C+A) = 42/(42+63) =	0·4:1
C	REAR BEVEL GEAR	42	1		
D	CRANKSHAFT GEAR (FRONT)	57	1	SLEEVE DRIVE MECHANISM (FRONT)	
E	LAYSHAFT GEAR	57	6		
F	LAYSHAFT PINION	18		D×F/E×G = 57×18/57×36 =	0·5:1
G	SLEEVE DRIVEN GEAR (INNER)	36	6		
H	IDLER GEAR	18	12		
I	SLEEVE DRIVEN GEAR (OUTER)	36	11		
J	SLEEVE DRIVEN GEAR (OUTER) (SPECIAL Nº2 CYLINDER)	36	1		
K	GOVERNOR DRIVING GEAR	51	1	CONSTANT SPEED GOVERNOR DRIVE D×F×K/E×J×L = 57×18×51/57×36×27 =	0·944:1
L	GOVERNOR DRIVEN GEAR	27	1		
M	PUMP DRIVE SHAFT GEAR	17	1	FRONT SCAVENGE PUMP	
N	DRIVING BEVEL GEAR	16	1		
O	PUMP DRIVEN BEVEL	14	1	D×F×G×H/E×G×M×O = 57×18×36×16/57×36×17×14 =	1·210:1
P	PUMP DRIVING WHEEL	8	1		
Q	PUMP DRIVEN WHEEL	8	1		
R	CRANKSHAFT GEAR (REAR)	57	1	SLEEVE DRIVE MECHANISM (REAR) R×F/E×G = 57×18/57×36 =	0·5:1

	GEAR	Nº OF TEETH	Nº OFF PER ENGINE	UNIT	RATIO
S	PUMP DRIVING GEAR	17	1	REAR SCAVENGE PUMP	
T	PUMP DRIVING BEVEL	16	1	R×F×J×T/E×J×S×U = 57×18×36×16/57×36×17×14 =	1·210:1
U	PUMP DRIVEN BEVEL	14	1		
V	PUMP DRIVING WHEEL	8	1		
W	PUMP DRIVEN WHEEL	8	1		
X	SPRING DRIVE GEAR (LOW SPEED)	100	1	TWO SPEED SUPERCHARGER (LOW SPEED) X×Z/AA×CC = 100×105/42×37 =	6·757:1
Y	SPRING DRIVE GEAR (HIGH SPEED)	108		(HIGH SPEED) Y×Z/BB×CC = 108×105/34×37 =	9·014:1
Z	INTERMEDIATE DRIVING GEAR	105	2		
AA	CLUTCH GEAR (LOW SPEED)	42	2		
BB	CLUTCH GEAR (HIGH SPEED)	34	2	CENTRIFUGERS LOW SPEED RATIO X×Z/AA×DD = 100×105/42×54	4·630:1
CC	IMPELLOR PINION	37	1		
DD	CENTRIFUGER GEAR	54	2	HIGH SPEED RATIO Y×Z/BB×DD = 108×105/34×54	6·176:1
EE	MAIN DRIVING SHAFT GEAR	44	1	MAGNETO DRIVE	
FF	MAGNETO DRIVING GEAR	44	1	EE×GG/FF×HH = 44×45/44×40	1·125:1
GG	MAGNETO DRIVING BEVEL	45	1		
HH	MAGNETO DRIVEN BEVEL	40	2		

	GEAR	Nº OF TEETH	Nº OFF PER ENGINE	UNIT	RATIO
JJ	ACCESSORY DRIVING GEAR	48	1	ACCESSORY DRIVE EE×FF/FF×JJ = 44×44/44×48 =	0·917:1
KK	CROSS-DRIVE SHAFT DRIVING BEVEL	28	1	CROSS DRIVE SHAFT	
LL	CROSS-DRIVE BEVEL GEAR	22	1	EE×FF×KK/FF×JJ×LL = 44×44×28/44×48×22 =	1·167:1
MM	TACHOMETER DRIVE SPIRAL GEAR	3	1	TACHOMETER DRIVE EE×FF×KK×MM/FF×JJ×LL×NN = 44×44×28×3/44×48×22×14	0·25:1
NN	TACHOMETER DRIVEN GEAR	14	1		
OO	PUMP SHAFT BEVEL	22	1	OIL PUMP	
PP	SCAVENGE PUMP DRIVING WHEEL	10	1	EE×FF×KK×PP/FF×JJ×OO×QQ = 44×44×28×10/44×48×22×10	1·167:1
OO	SCAVENGE PUMP DRIVEN WHEEL	10	1		
RR	PRESSURE PUMP DRIVING WHEEL	10	1		
SS	PRESSURE PUMP DRIVEN WHEEL	10	1		

吸排気系駆動概念図

各ギアの名称とギア・レシオを説明している非常に解りやすいイラスト。整備する時には、部品構成のイメージを掴みやすかった。おびただしい数のスリーブ駆動ギアに、注目していただきたい。(エンジン・ハンドブックより)

Crank Shaft & Connecting Rod

クランク・シャフト&コンロッド

センター・クランク・ケース

中央の孔にクランク・シャフトを受ける、ローラー・ベアリングが圧入されている。ケース内壁に開けられた小孔は、軽量化を兼ねた運転時の空気連通孔で、ピストン上下動によるポンピング抵抗を低減するのが目的だ。

リンク・ロッドが組み込まれた完成状態

リンク・ロッド固定ピン

ピンは組み立て前にフリーザーで低温にしておき、コンロッド大端部側を温めて嵌合させる。ピンの両端には、かじり防止の銅系コーティングが施されている。

クランク・シャフト

マスター・ロッド用ベアリングは、圧入される形式。コンロッド大端部に、オイルを供給するV字溝が見える。目立ったダメージは無く、外径計測してクリアランスに問題がなければ、再使用する。端部周方向に見える2つの溝は、クランク・カウンターを取り付ける際のボルトの逃げだ。

1

2

マスター・ロッド

マスター・ロッドは、7番気筒(後列)と8番気筒(前列)に組み込まれる。エンジン下部で近接する位置に組み込むことにより、振動とピストン側圧が減少する。余談だがP&W系のエンジンでも、似たようなレイアウトを採用している。また興味深いことにセントーラスMk.57では、マスター・ロッド位置が、4番と13番気筒に変更されている。

1

コンロッド配置

センター・クランク・ケースに収まったロッドの配置がよく解る。コンロッドが黒ずんでいるのは、腐食防止のコーティングで、本体表面は非常にきれいな仕上がりになっている。

2

クランク・ケースの組み立て

クランク・シャフトが組み上がり、後列用のスリーブ・ドライブ・ケースが載せられた状態。このセンター・クランク・ケースを、前後からスリーブ・ドライブ・ケースが挟み込み、シリンダー・ホールを形成する構造だ。

1
カウンター・ウエイトの組み込み

嵌合代が少ないので、センターを出しながら慎重にゆっくりと落とし込んでいく。嵌合部を完全脱脂することは、いうまでもない。

2
カウンター・ウエイトの整列

前列、後列ともにコンロッド、カウンター・ウエイトが組み込まれた状態。ここでセントーラス独特の作業方法により、カウンター・ウエイトの整列を出す。カウンター・ウエイトの真ん中に孔があいているのが確認できるだろうか。この孔は、クランク・シャフト中心を貫通して、反対側のカウンター・ウエイトの孔まで達している。ここへ精密に加工された長棒を差し込み、ボルトを締めこんだ後、スムースに抜けるように調整するのだ。調整後、クランク・シャフト中心の貫通孔は、オイル・リリーフ・バルブを組み込んで塞がれる。

3
クランク・シャフト・ボルトの締め付け

ボルトの締め付けは、伸び量を0.33～0.38㎜で管理する。三段階くらいに分けて、徐々にトルクをかけて伸ばしていくのがコツ。後列から開始するのが基本だ。スリーブ・ドライブと同様に、セントーラスの整備で、もっとも重要な部分のひとつである。

1

2

3

Bristol Centaurus
Chapter ▸▸ 04

Crank Shaft & Connecting Rod

Super Charger

過給器

クラッチ

スーパーチャージャー・クラッチが、ケースに2個配置される。かなり大型なクラッチ・ステムである。クラッチ容量を稼ぐためであろう。中央のシャフトが、インペラー・シャフト端に組まれる。左右クラッチ・シャフト端に重なっているギアが、スーパーチャージャー1速側ギア、2速側ギヤである。クラッチ・ハウジング内に、1速側、2速側とも対面で同枚数のプレートが組み込まれており、油圧で切り替えるシステムだ。

アクセサリ・ケース

長いシャフトがクランク・シャフト端に結合し、スーパーチャージャー・クラッチへの出力となる。またこのシャフトは、スターター・モーターとも結合しており、ダンパー機構も内蔵する。ケース内部にはスーパーチャージャー・クラッチへの油圧切り替えと、マグネトー進角調整機構も組み込まれている。ケース本体は内部空間に余裕があり、整備するのに苦労はないが、とにかく重い！

ブロワー・ケース

インペラーが組み込まれたブロワー・ケースに、スーパーチャージャー・クラッチ・ケースが取り付けられる。側面に大きく開いた孔が吸気孔で、ここから混合気を吸い込んで、加圧した後に下部の小孔から、各気筒に分配される。

Bristol Centaurus

Chapter ▸▸ 04

Reduction Unit

減速機構

ベベル・ギアとベベル・ピニオン・ギアのバックラッシ調整

3点同時計測。これまた専用整備台を持たないので、使用できなくなったノーズ・ケースを流用する。使えなくなったパーツも、立派に再利用できる場合があるのだ。大戦機エンジンのレストアでは、どんなパーツも決して廃棄してはいけないのだ。

プロペラ・シャフトとリダクション・ギアの組立

セントーラスはプロペラ減速機構に、大径ベベル・ギアを採用している。ベベル・ピニオン・ギアの受けは、ボール・ベアリングだ。専用整備台を持たないので、プロペラ・ハブを流用して、組立を行った。プロペラ・シャフト端に装着された工具は、ブリストルのオリジナルで、センターのバーを回転させるとギアの内側に爪が噛みこんで、プロペラ・シャフトを吊り下げることができる優れモノだ。

Injection Carburetor

インジェクション・キャブレター

インジェクション・キャブレター（左から撮影）

手前にある目盛り入りプレートは、スロットル開度を表示する。運転前にセット・アップの目安として使う。その横のレバーに、パイロットがコントロールするケーブルとマグネトー進角機構へのリンクが結合される。

エンジンへの搭載状態

インジェクション・キャブレターは、アクセサリケースの下部、オイル・サンプの後方に取り付けられる。中央の筒はフューエル・フィルター、右下にフューエル・ポンプが見える。地上運転時の較正作業を行うアジャスターが、ユニット中央にあるのだが、機体搭載状態だと、とても調整しにくい位置にある。あまり取り扱いを考えたとは思えない設計で、この辺りは独DBシリーズやBMW801に“完敗”といったところだ。

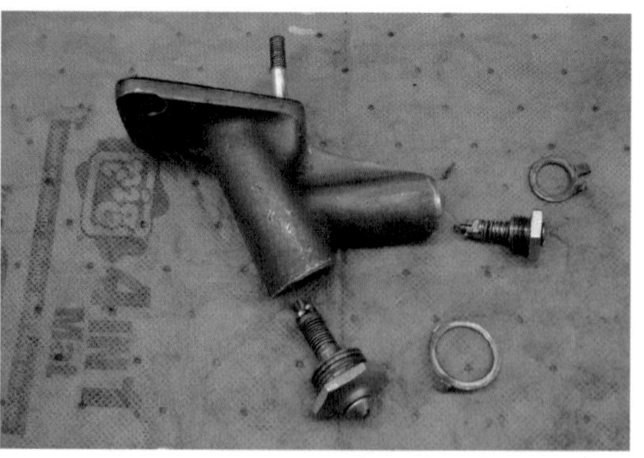

噴射ノズル

大きい方がメイン・ノズル、小さい方が補助ノズルである。スプリングでポペット・バルブを開閉する仕組みで、スロットル・ボディー内部に組み込まれている。特に驚くような機構ではなく、『シンプル・イズ・ザ・ベスト』が貫いている。これならば前線での修理、対応も容易であろう。

1

2

3

1
インジェクション・キャブレター(右斜め上方より撮影)

セントーラスはフロート室を持たない、ホブソン製インジェクション・キャブレターを採用している。燃料コントロール部、ブースト検出部、スロットル・バルブへのリンク部と、3つのパートから成り立っている。ドイツ製インジェクション・ポンプに比べ大きく、野暮ったい感じだが、その働きは必要にして充分だ。巧みにリンク、カム機構、油圧制御を用いて、適正燃料をエンジンへ供給している。この状態は、ちょうどオイル・サンプに取りつく面が下になっている。

2
スロットル・バルブへのリンク部

貫通した長いシャフト端に、ロッドを介してスロットル・バルブ・ボディのリンクが連結される。中央の八角形の部分に、燃料コントロールとブースト検出部のユニットが装着される。左の箱は、油圧制御されたピストンで動くカム機構を内蔵しており、スロットルの開閉をアシストする。

3
フューエル・コントロール部

大気圧、吸気管圧、吸気温を検出して燃料量の調量が行われる。基本は油圧制御のピストンとアネロイドを組み合わせて作動するシステムだ。燃料供給を行うのに、ドイツとイギリスでは、こうも違った機構になるのか不思議に思えてくる。やはりイギリス製品には、頑迷な個性を感じずにはいられない。

Exhaust Pipe

排気管

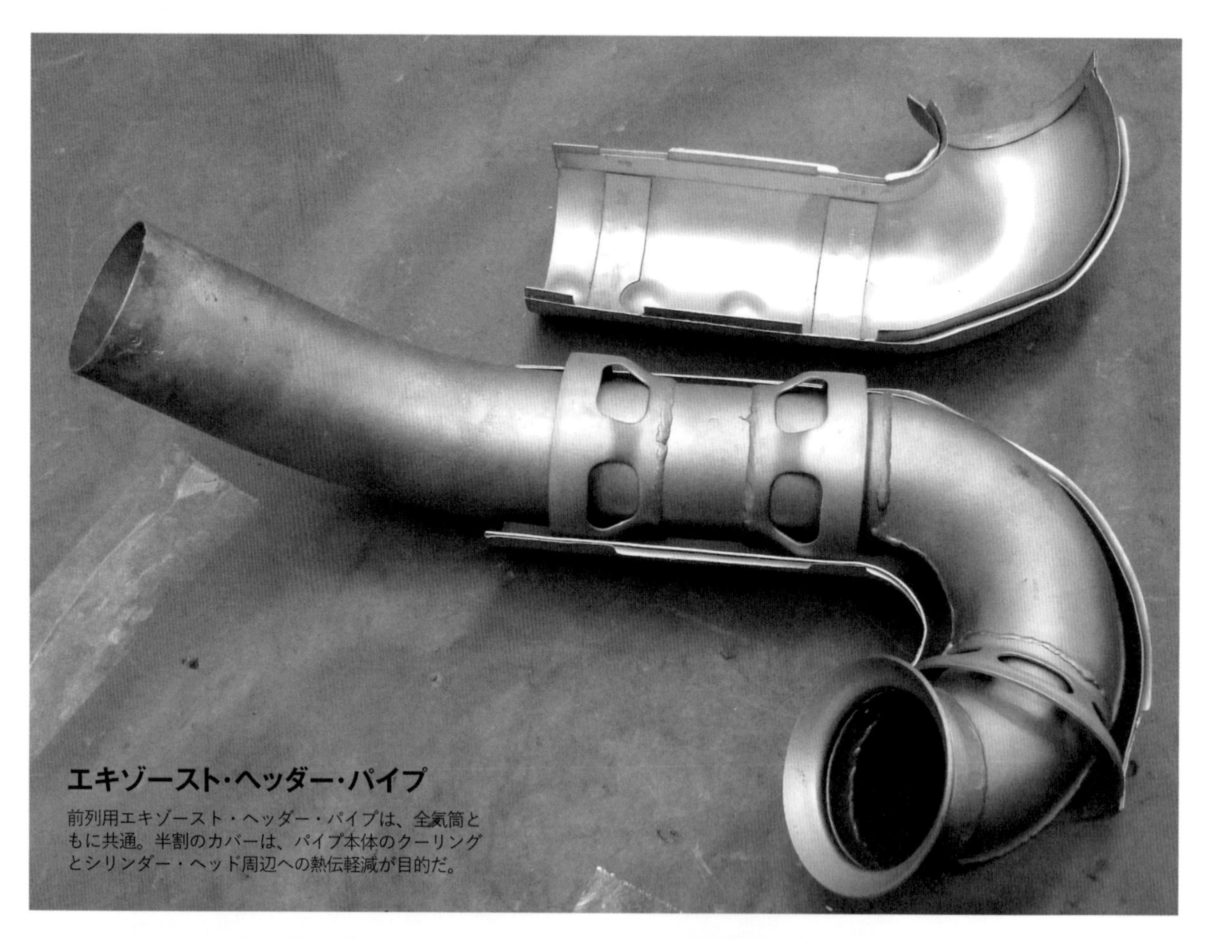

エキゾースト・ヘッダー・パイプ

前列用エキゾースト・ヘッダー・パイプは、全気筒ともに共通。半割のカバーは、パイプ本体のクーリングとシリンダー・ヘッド周辺への熱伝軽減が目的だ。

推力変換式エキゾースト・パイプ

中間地点をボール・ジョイントとすることで、パイプ端のアライメント調整を簡素化している。BMW801でも同様な仕様となっているが、セントーラスのほうが凝った作りである。左右対称の排気管レイアウトは、整然としていて気持ち良い。また排気を推進に変換するため、排出口を1ヵ所に集合させている。

Bristol Centaurus

Chapter ▸▸ 04

Magneto

点火系

2

3

1

点火タイミング調整

マグネトー・ポイントの開き具合を確認して、点火タイミングをセットしている状態。ポイント・ギャップは0.23㎜に調整して、必ずマスター・ロッドのローター山（7、8番気筒）で、点火タイミング確認を行う。離陸時はBTDC（上死点前）15°、クルージング時BTDC19°、アイドル時BTDC27°になるよう、ギア駆動部分に自動調整機構が備わっている。

1

マグネトー

BTHタイプC18A/9のマグネトー。アクセサリケースの左右に1対ずつ配置される。エンジン回転の1.125倍で駆動され、点火順序は1－12－5－16－9－2－13－6－17－10－3－14－7－18－11－4－15－8となる。（後列気筒最上部が1番気筒になり、後方から見て左回りで前列が2番気筒となる）

2, 3

点火作動テスト

組み立てが終了したマグネトーを、エンジンに装着する前に点火動作テストを行う。モーター駆動で実働時の回転数に合わせると、放射状に配置された電極間に、順番に火花が飛んでいく。高回転だと火花は、点滅しているように見え、ミスファイヤがあると、その電極部分は暗くなるので判定できる。内部の配線を新品と交換しても、高圧配電部があるので、やはり負荷をかけた点火テストは行わなければならない。

航空用特殊工具の話

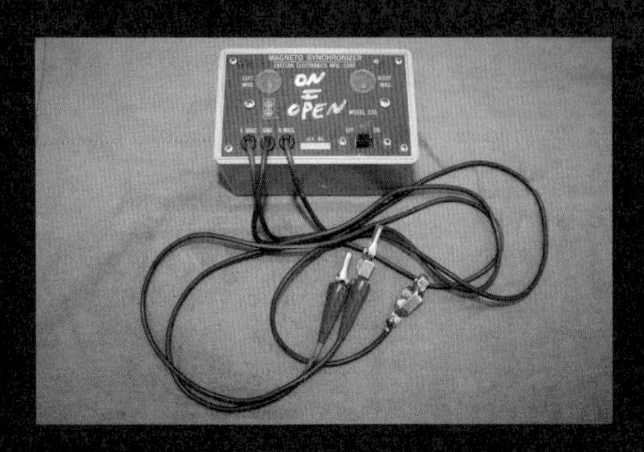

バズ・ボックス

通称“バズ・ボックス”とは、マグネトー・シンクロナイザーの別名。マグネトー本体のコンタクト・ブレーカーとグラウンドに結線して、エンジンの指定する点火時期に、ブレーカーのオープン状態を確認する工具だ。ブレーカーのオープン状態は、音とインジケーター・ライト点灯で知らせてくれる。ツイン・マグネトーの場合は、2基の同調も確認できるスグレモノだ。

BMW801用特殊工具

これらはBMW801の特殊工具類。独特な構成や配置をしているため、オリジナル工具が入手できない場合は、新規製作しなければならない。ざっと20～30種類は必要となろうか。レストアの初期コストとして、特殊工具の製作費はかなりの金額になってしまう。いたる所に専用ナットを使用しているので、専用工具がなくてはお話しにならない。特にドイツ製エンジンはその傾向が強く、頭の痛いところである。

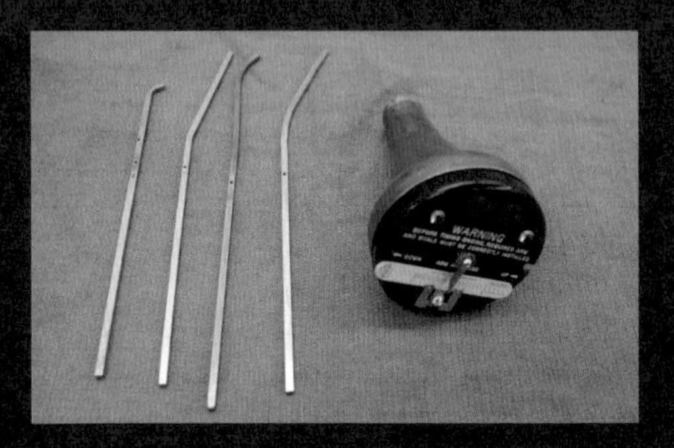

タイム・ライト

この工具はピストンの上死点（TDC）を確認するのもので、シリンダー・ヘッドのスパーク・プラグ孔に装着して使用する。タイム・ライト本体にセットした左側の支持棒は、ピストン頭部に接触している。クランク・シャフトを回すと、オレンジ色のインジケーターが動いて、スケール上の上死点を指示する仕組みである。スケールと曲率が違う支持棒の組み合わせがあり、エンジンによって選択する。ピストン上死点は、カム・シャフトのバルブ・タイミングや点火時期を調整する時に、必ず行わなければならない重要な作業だ。

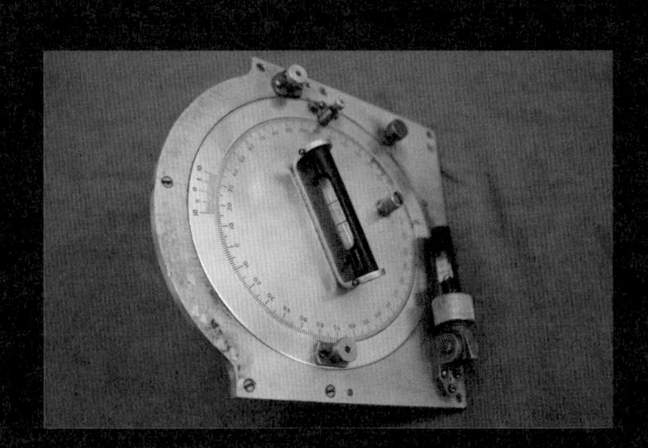

プロペラ・プロトラクター

プロペラはエンジンに取り付けた状態で、設定されたピッチ角（プロペラの回転面に対するブレードの角度）にセットしなければならない。プロペラ・ブレードの基準位置に、この工具を当てがってピッチ角を計測する。まさしく航空機レシプロエンジンならではの工具といえよう。

Chapter ▸▸ 05

Wright R-1820 Cyclone 9

ライト R-1820 サイクロン 9

United States of America

Grumman F4F Wildcat

グラマン F4F ワイルドキャット

GMが独自に開発・生産したFM-2は、ライトR-1820-56サイクロン9に換装。エンジン直径が176㎜大きい分だけ、F4F系列より機首は太くなったが、パワーアップして軽量化も図られたため、グラマン製ワイルドキャットより性能が向上している。

古めかしくても屈強な猫一族の長男

Grumman F4F Wildcat

Chapter ▸▸ 05

グラマン社は飛行艇設計を数多く手掛けていたため、中翼機の胴体引き込み式主脚は必然の選択だった。そのため操縦席下部が、防漏式燃料タンクの搭載スペースとなっている。

Wright R-1820 Cyclone 9

Chapter ▸▸ 05

約90度捻って後方へ収納するグラマン独特の主翼折りたたみ機構によって、空母搭載機数は実に4割り増しにもなり、離着艦と収容作業もより効率化された。

1,350馬力を発生する空冷星型単列９気筒のライトR-1820は、構造が単純で信頼性も高く、洋上飛行を主体とする艦載機には、最適のエンジンであった。

第二次大戦において、米海軍艦上戦闘機の主役を務めたのが、いわゆる"グラマン猫一族"である。最初に登場したＦ４Ｆワイルドキャットは、ビヤ樽のようにズングリした胴体、短足で複雑怪奇な主脚など、先代Ｆ３Ｆ複葉戦闘機の古色蒼然とした設計思想を、色濃く受け継いでいた。

やがて太平洋戦争の戦端が開かれ、当時、精強無比を誇った零戦隊に挑んだＦ４Ｆは、格闘戦に引き込まれて損害が続出した。だが、開戦から半年後のミッドウェイ海戦以降、空戦の状況は一変した。ジョン・サッチ中佐が、戦訓を採り入れて編み出した、２機編隊で相互に援護機動を行う"サッチ・ウィーブ"戦法が徹底されると、Ｆ４Ｆは零戦と互角以上に渡り合うことができたのだ。

やがてグラマン社が、新鋭機の開発・生産で手一杯になると、Ｆ４Ｆの生産は自動車会社ジェネラル・モータース（ＧＭ）に移管された。わずか２ヵ月足らずで、ＧＭ傘下にイースタン航空機が創設され、早くも半年後にはＦＭ-１の別名で、第１号機が送り出されたのである。さらにＧＭは、エンジン換装と軽量化を図った改良型ＦＭ-２も、独自に開発・生産した。総計７８２５機が生産されたＦ４Ｆ系列のうち、ほぼ３分の２がイースタン航空機で量産されたのである。性能はそれなりでも、必要な時期に、素早く、効率的に、大量生産できることが、兵器として優秀性の証明なのだ。猫一族の長男は、決して秀才ではなかったが、堅実で屈強な働き者であった。

米軍機としては狭い操縦席だが、配置は極めて合理的。風防前面に分厚い防弾ガラス、背後には防弾鋼鈑を装備して、パイロットの保護も万全である。

Specifications [**GM Eastern FM-2 Wildcat**]

全長：	8.81m
翼幅：	11.58m
	4.37m（折りたたみ時）
全高：	2.81m
翼面積：	24.15㎡
機体重量：	2,471kg
全備重量：	3,396kg
最大速度：	534㎞/h（8,800m）
巡航速度：	264㎞/h

海面上昇率：	1,110m/min
実用上昇限度：	10,575m
航続距離：	1,450㎞
エンジン：	ライトR-1820-56サイクロン9
	空冷星型単列9気筒
	離昇出力1,350hp
武装：	12.7㎜機関銃×4（各430発）
	250lb爆弾×2
	5inロケット弾×6

全金属単葉モノコック構造で引き込み脚を備えた外観は、ダグラス社の設計らしくソツがない。当時の最新技術を盛り込んだSBDは、米空母機動部隊の攻撃力を刷新する先駆けとなった。

戦局を逆転させた殊勲の急降下爆撃機

Douglas SBD Dauntless

ダグラスSBDドーントレス

Specifications
[**Douglas SBD-3 Dauntless**]

全長：	9.80m
翼幅：	12.65m
全高：	4.14m
翼面積：	30.19㎡
機体重量：	2,878kg
全備重量：	4,717kg
最大速度：	402km/h（5,243m）
巡航速度：	244km/h
海面上昇率：	363m/min
実用上昇限度：	7,920km
航続距離：	2,160km（爆撃）
	2.540km（偵察）
エンジン：	ライトR-1820-52サイクロン9
	空冷星型複列14気筒
	離昇出力1,000hp
爆弾搭載量：	545kg
武装：	7.7mm機関銃×4
乗員：	2名

右／R-1820は単列9気筒のため、気筒間にキャブレター空気取り入れ口を設け、抵抗低減と前方視界向上を図っている。
左／ダイブブレーキ兼フラップに開けられた無数の小穴（直径45mm）が、急降下時のバフェッティングを効果的に抑止する。

日米開戦から半年後の1942年5月8日、史上初の空母航空戦となった珊瑚海海戦で、軽空母『祥鳳』を撃沈、正規空母『翔鶴』を中破に追い込む。さらにその1ヵ月後、日米主力機動部隊同士が激突して、太平洋戦争の天王山となったミッドウェイ海戦では、日本海軍の精鋭空母『赤城、加賀、蒼龍、飛龍』4艦を、一挙に葬り去る。米海軍急降下爆撃機ダグラスSBDドーントレスこそ、わずか一海戦で攻守を逆転させた、立役者といっても過言ではない。

日本海軍がミッドウェイ海戦で大敗を喫した要因は、空母航空戦の鉄則である「先手必勝」が、徹底されなかった点に尽きる。対極的に米海軍は、多数の爆装艦載機で濃密な索敵線を張って、あわよくば先制の一撃をかけるという、理にかなった戦術を採り入れていた。Scout Bomber＝『索敵爆撃機』を意味し、末尾のDがダグラス社を示すSBDドーントレスは、まさしくその任務に沿って開発され、期待に違わぬ戦果を挙げたのである。

SBDは全金属製単葉で引き込み脚装備した、最初の米海軍艦上爆撃機だ。急降下時に発生する乱気流で、機体が激しく振動するバフェッティングを防止するため、無数の穴を開けたダイブブレーキ兼フラップは、絶大な効果を発揮する大発明で、後に米海軍艦爆の標準装備となった。ちなみに"ドーントレス"とは、「勇敢な」「ひるまない」とった意味である。米海軍にとってSBDは、文字通り『真の勇者』であった。

総計1万3,000機近く生産され、消火・救難機として1970年代まで現役だっただけに、飛行可能な現存機は比較的多い。このB-17G型"ナイン・オー・ナイン"は、全米を飛び回って一般人の体験飛行を実施している。

枢軸国を屈服させた元祖"空の要塞"

Boeing B-17G Flying Fortress

ボーイングB-17Gフライング・フォートレス

Specifications
[**Boeing B-17G Flying Fortress**]

全長：	22.78m
翼幅：	31.63m
全高：	5.82m
翼面積：	131.9㎡
機体重量：	16,330kg
全備重量：	29,484kg
最大速度：	472㎞/h（7625m）
巡航速度：	293㎞/h
航続距離：	5,800㎞（フェリー時）
海面上昇率：	186m/min
実用上昇限度：	10,670m
爆弾搭載量：	5,440kg
武装：	12.7㎜×13
乗員：	10名
エンジン：	ライトR-1820-97サイクロン×4
	空冷星型単列9気筒ターボ過給器付
	離昇出力1,200hp

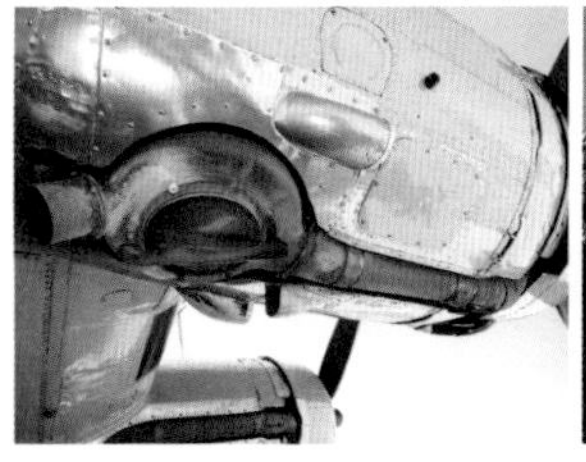

右／R-1820の星型単列9気筒という比較的単純な構造は、整備性に優れ被弾にも強かった。戦闘でエンジンが1基や2基、停止しても英国に帰り着いたB-17は数知れない。
左／第1、第4エンジンのナセル下面（第2、第3エンジンは側面）に露出させて装備するジェネラルエレクトリック製ターボチャージャーは、優れた高々度性能と、高度9,000mからの水平爆撃を可能にした。

弧立主義を貫く米陸軍は、本土のみならずアラスカ、ハワイまで防衛範囲に収める、大型爆撃機の配備を計画した。これに対し量産機がなく、廃業寸前まで追い込まれていたボーイング社が、背水の陣で提出した設計は、当時の常識を破る4発爆撃機であった。すでに世界に先駆けて、全金属製・引き込み脚式高速輸送機モデル247の開発に成功した、ボ社の技術力と自信・英断こそ、後にB-17が傑作機となる最大の要因であった。

1939年9月、欧州で第二次大戦の戦端が開かれると、まだB-17は50機程度しか配備されていなかったが、武器貸与法に基づき20機のC型が、英空軍に編入され初めて実戦参加した。ところが防御火力の不足から、予想以上に損害が多く、直ちに改良の必要が認められ、武装を強化したE型が登場した。さっそく欧州戦線に送られた米陸軍航空軍のE型は、ドイツ本土と占領地区の昼間爆撃任務に投入された。その間にも、手強いドイツ空軍迎撃機と濃密な対空火器網に対抗するため、さらに武装を強化したF型を経て、G型へと進化した。やがてP-51マスタングが護衛に随伴すると、もはやドイツ空軍にB-17を阻止する手立てはなく、第三帝国を完膚無きまでに叩き潰す原動力となったのである。ちなみにボーイング社自身が命名した愛称"フライング・フォートレス"（空の要塞）は、一般的に堅固な防御力に由来すると信じられているが、実際には「米本土を空から護る要塞」という意味である。

ライトR-1820サイクロン9
徹底解剖

Wright R-1820 Cyclone 9

Specifications

空冷星型単列9気筒		全長：	1,232㎜
排気量：	29.9ℓ	全幅：	781㎜
ボア×ストローク：	155.6×174㎜	エンジン乾燥重量：	605kg
圧縮比：	6.7：1	過給機：	遠心式1段2速
減速比：	0.5625：1	離昇出力：	1,200hp@2,500rpm

空冷星型エンジンの傑作、Ｒ-１８２０を誕生させたカーチス・ライト社は、１９１６年にイスパノスイザ製エンジンをライセンス生産するため、当初はライト・マーチン社として設立された。しかし生産は開始したものの、すぐ経営に行き詰まり、１９１９年に解散して、ほとんどの技術者は他社に移っていった。この時、エンジン生産担当だったＦ・レンチュラーが、資産を引き継いでライト・エアロノーティカル社を立ち上げた。そしてイスパノスイザの改良を進める一方で、水冷Ｖ型エンジンＴシリーズ、さらに空冷星型エンジンＲ-１３５０も開発したが、アメリカ陸海軍はカーチス社製エンジンの採用に傾いた。そのうえライト製イスパノ・エンジンの継続購入まで打ち切ったため、レンチュラーはローレンス社に、事業を売却せざるを得なくなった。人類初の動力飛行を成し遂げた、偉大なライト兄弟の流れを汲むこの会社は、その名声ゆえであろうか、政治的に翻弄される事態が多かったようだ。

事業を引き継いだ当のローレンス社は、空冷星型９気筒エンジン・Ｊシリーズの開発を推進した。そしてシリーズ最終バージョンＪ５〝ホワール・ウインド〟は、チャールズ・リンドバーグが操縦する〝スピリット・オブ・セントルイス号〟に搭載されて、初の大西洋横断に成功したのである。ローレンス社はその高い信頼性が評価され、海軍から空冷星型エンジン２種類の購入契約を獲得した。それぞれにＰ１、Ｐ２の名称が付与され、〝サイクロン〟の愛称で、

Wright R-1820 Cyclone 9

Chapter ▸▸ 05

空冷星型エンジンの典型

現在、アメリカ国内でマーリンと並んで、もっともポピュラーなレストア対象となっている大戦機エンジンが、このライトR-1820サイクロン9である。航空博物館の所有機や商業用機（消防機や極地輸送機など、いまだ現役ということが素晴らしい！）、操縦訓練用の機体も含めて、相当数が使用されているため、定期的にオーバー・ホールの依頼が入るのだ。部品類も豊富に在庫しており、簡単に入手できる点も強みだ。エンジン外観は、空冷星型エンジンの見本教材といってもよい作りである。整然とした空冷フィンの美しさには、目を惹かれる。やや大ざっぱなパーツ・デザインも、アメリカ製品の雰囲気を醸し出している。私的には整備すればするほど、やはり空冷星型エンジンは、アメリカ製が一番ではないかと感じている。特にR-1820は単列気筒であるために、構造が極めてシンプルで、部品点数も少なく、整備性が非常に優れている。もし私が戦場で、本誌掲載エンジン中、どれか整備しろと命令されたら、迷わずR-1820を選ぶ。パーツの互換性、組立やすさ、簡便さが、高いレベルで調和しているからだ。未熟な整備兵でも、短時間で学習して、すぐさま戦力になったことだろう。誰が組み立てても、同じ性能が発揮できるようコントロールするには、高い技術を要する。ドイツ製エンジンに見られるような、驚くほどの先進的要素（性能的に劣るという意味ではなく、空冷星型としての先進性は、むしろドイツより上であろう）はないが、大量生産に有利な、いかにもアメリカ的合理設計は、他国の追従を許さない。まさしく連合軍の勝利を、強固に下支えをした傑作エンジンである。

開発が始まったのである。ところが今度は、レンチュラーが数人のエンジニアを引き連れて、ローレンス社を去る事態が発生する。ちなみにレンチュラーは、プラット&ホィットニー社へ空冷エンジンの計画を売り込み、P&Wエアクラフト社を設立して、ライト社の強力なライバルへと押し上げたのである。

そのためライト社には、停滞期間が訪れるが、1926年にE・ジョーンズやサム・ヘロンなど、優秀な技術者が入社する。ジョーンズとヘロンの新たな設計陣は、次々にJ5やPシリーズの改良を推し進めた。とりわけ700馬力級の空冷星型9気筒エンジン、R-1750を完成させたことが、大きな功績であった。1929年にライト社は、航空機製造の名門カーチス社と合併して、カーチス・ライト社となった。そして航空エンジン市場の主導権を握り、ライバルP&W社に対抗する目的で、開発に着手したのが一連のR-1820サイクロン・シリーズである。シリーズ最初のエンジンとなったサイクロンFは、ボア×ストローク155・6×174㎜、排気量29・9ℓから900馬力を絞り出し、戦前・戦中を通じてヒット作となった。この後、R-1820はGシリーズ、G200シリーズ、Hシリーズと進化を遂げ、最終的には1350馬力まで出力を向上させた。そしてB-17フライング・フォートレス（ターボチャージャー搭載）やSBDドーントレス、FM-2ワイルドキャットなどに搭載されて、大戦終結まで大活躍したのである。

エンジン・マウントに架装されたR-1820

機体用フレームに取り付けて、テスト・スタンドに載せられるのを待つ。R-1820は空冷星型エンジンの、ひとつの完成形である。クランク・ケースに青系塗装、シリンダー・バレルはアルミニウム地というのが、このエンジンの定番カラーだ。

真横から見たR-1820

単列気筒のスリムさがよく解る。複列気筒と違って複雑さはなく、パーツ配置は明解で、工具のアクセスもしやすく、整備性は良好である。シリンダー・ヘッド上方に取り付けられているのは、エンジン吊り上げ用の治具で、地味な道具だがこれらが充実していてこそ、迅速な整備ができるのだ。

Wright R-1820 Cyclone 9

Chapter ▸▸ 05

Crank Shaft

クランク・シャフト

クランク・シャフト

右側にプロペラ・シャフトが嵌合(かんごう)する。この部分は、カウンター・ウエイトとクランク・ピン部が一体構造になっている。左のカウンター・ウエイトが外れて、コンロッド・アッシーが挟み込まれる。このくらいの大きさ、重量くらいまでが、メカニック1人で整備できる限界である。複列気筒以上のクランク・シャフトになると、重くてとても1人では手に負えない。

クランク・ピン部

鏡面仕上げされたクランク・ピン部。焼けたオイルのシミで、カウンター・ウエイトがくすんで見えるが、全体は非常に滑らかに加工されており、製造技術力の高さをうかがわせる。

カウンター・ウエイト

カウンター・ウエイトには、ダンパー機構が組み込まれており、カウンター・ウエイト本体が横方向に移動して、振動を打ち消す。移動量が適正になるようブッシュの寸法は、厳密に管理しなければならない。

Crank Case & Cam Ring

クランク・ケース&カム・リング

コンロッド・アッシー組み込み

クランク・ケース（アクセサリー・ケースとブロワー・ケースを合体）にコンロッド・アッシーを組み入れる。マスター・ロッドは、1番シリンダー位置に合わせる。副ロッドは新品だ。パーツ・ナンバーが、はっきり識別できる。ケース内面がオレンジ色なのは、銅系コーティングが施されているからで、シリンダー・バレルとの合わせ面シーリングのためだ。

カム・リング・ドライブ機構

カム・リング・ドライブ機構が解る。見えにくいが奥のギアがオイル・ポンプ・ドライブ、左右3つずつ配置されているのがカム・ドライブ・ギアで、バランス・ウエイトを備える。手前の大きなギアは、プロペラ・ガバナー・ドライブ・ギアだ。オレンジ色の印が、ギア・タイミング・マークである。ズレると当然、正確に回転しないので、慎重な作業が要求される。ギア群の下には、カム山が確認できる。吸気側と排気側が、重なりあって配置されている。いわゆる“カム・シャフト”を見慣れた目には、何とも異様な感じがしてならない。バルブタイミングは吸気開き40° BTDC（上死点前)、同閉じ49° ABDC（下死点後)、排気開き69° BBDC（下死点前)、同閉じ30° ATDC（上死点後)。クランク・シャフトのスラスト・クリアランスは、0.33㎜に調整する。

クランク・ケース&カム・リング

カム・リングを組み込んだ、前方クランク・ケースを合わせる。シリンダー・バレルが入る孔が形成されて、エンジンらしくなってきた。赤い蓋を被せた孔は、吸気パイプが付くブロワー・ケース部である。

Crank Shaft & Connecting Rod

クランク・シャフト&コンロッド

コンロッドとクランク・シャフトの組み付け

組み上がったコンロッド・アッシーを、クランク・シャフトに組み付ける。後部カウンター・ウエイトを、ボルトで締めて固定する。その時に前後カウンター・ウエイトの間隔が、179㎜になっていること、先端部の芯振れが0.15㎜以下になるように組み立てる。R-1820でもっとも気を使い、時間のかかる作業だ。ちなみにカウンター・ウエイトのはまり部分を、セレーション加工にしておけば、芯出しに時間を取られることはないはずだが、生産性の理由で不採用となった。

カウンター・ウエイト取り付けボルト

カウンター・ウエイトの取り付けボルトは、0.21～0.25㎜伸び量で管理する。そのうえでボルトネジ部のロックピン孔と、一致させなければならない。ネジの潤滑には、MIL Spec（軍用規格）に準じた、カジリ防止剤を塗布する。1.5m弱の長さのあるレンチを用いて、2人がかりで行う体力勝負の整備といえるが、BMW801やセントーラスに比べれば、楽なものである。

マスター・コンロッド

コンロッド・ベアリングが大端部に挿入されて、側面よりプレートで保持する構造である。またプレートは、副ロッドを抑えるナックル・ピンを、ボルトとナットで締め付けるボス部にもなっている。マスター・ロッドの横には、2枚の薄いプレートが見えるが、これはスラスト・クリアランスを調整するためで、厚み違いが何種類か設定されている。

Wright R-1820 Cyclone 9

Chapter ▸▸ 05

Piston

ピストン

ピストン

このピストンは、頂部にメッキ加工が施された仕様で、トップ・ランドのカジリ防止と燃焼室部分が、腐食しにくくなる。コンプレッション・リングは2本、オイル・コントロール・リングも2本、オイル・スクレーバー・リングが1本で、標準的な組み合わせだ。ズシリ重さを感じる作りで、かなり肉厚な印象である。バルブの逃げは、かなり深い。最適なバルブ・アングルを追及すると、こういった形状にせざるを得なかったのだろう。

1 ピストン・ピン

ピストン・ピンの止め方は、片側のみにボタンが圧入され、その反対側はピストン・ボス部の段差で止まる 独特の構造。他のエンジンではCクリップで止める、フローティングしたボタンを両側に入れるなどだが、この構造は簡単に挿入できて時間節約、しかもトラブル・フリー！実にうまい設計だ。

2 ピストン裏面

ピストン裏面は非常にきれいな仕上がりだが、特に凝った作りではなくオーソドックスなデザインだ。大量生産に適した構成を採用しているのがよく解る。

3 ピストンの取り付け

このリング・コンプレッサーは純正工具で、レバーを軽く倒せば絶妙なクリアランスを保持して、リングが圧縮されるという優れモノ。空冷星型は一気筒ずつ、シリンダーを挿入していくので、V型とは違ってこの辺りの整備性は、断然優れている。トラブルが発生しても、交換して直ぐに再運転できるのが、空冷星型エンジンの大きなメリットだ。

Cylinder

シリンダー

組み込まれた動弁系パーツ

クランク・ケースに取り付けるプッシュ・ロッド、ガイド、ロッカー・アームなど動弁系パーツが組み込まれた状態。

シリンダー・ヘッド周り

吸気パイプとエア・バッフルが、取り付けられたシリンダー・ヘッド。基本的に吸気パイプは、全気筒とも共通。エア・バッフルも最下部の気筒を除いて、同じ形状である。エア・バッフルはシリンダーの側面に一枚ずつ、2ヵ所をボルト止めし、後方をスプリングで引き留めして完了する。簡単に短時間で組み立てが終わるよう、よく配慮されている。バッフルは、空冷星型エンジンの性能を左右する、非常に重要なパーツである。

シリンダー・バレルとシリンダー・ヘッド

中央にスパーク・プラグ取り付け孔（裏側にもう1孔ある）が見え、その左下の突起物は温度センサーを取り付けボス部だ。向かって左が排気ポート、右が吸気ポートになる。冷却フィンがヘッド側、バレル側とも非常に美しい。冷却フィンの仕上がりの素晴らしさは、アメリカ製がナンバー1であろう。鋳造肌にも荒れはない。バレル側フィンは、アルミニウム製プレートの積層構造になっており、形状違いが何種類か存在する。そのフィン上に塗布された白い物体は、振動を軽減してフィンの破損を防ぐシリコン樹脂だ。

組み立て中のシリンダー・バレル

マスター・コンロッドのシリンダーから、組み立てを開始する基本は変わらない。ピストンがストローク中間以上にある位置で止まっているコンロッドならば、どこから取り付けても問題ないが、私は好んで点火タイミング順に行っている。

組み立て前のシリンダー・バレルとヘッド

空冷シリンダーの典型的な構造が、鮮明に理解できる。バレルにはフィンを鋳造するもの、削り出すもの、このエンジンのように、アルミニウム薄板を重ね合わせる構造など、様々な製造技法がある。R-1820は組み立てに手間はかかるが、フィンの修理は容易で、冷却性能を変更したければ、薄板の形状や厚み、積層パターンを変更したものを、すぐテストできる。ヘッドは指定温度まで温めておき、規定位置まで締めこめば、作業が完了するように設計されている。

1

バルブ・クリアランス・アジャスター

バルブ・クリアランスを調整するアジャスターが見える。バルブ・エンドとの接触面には、ローラーを使用している。セットするクリアランスは、吸気排気ともに0.25㎜だ。

2

70%組み立て済み

シリンダー・バレルの組み込みが済んだR-1820。ここまで来れば、組み立ての70%は終了したといってよいだろう。

Nose Case

ノーズ・ケース

ノーズ・ケース

内部パーツの検査・調整を終えて、組み立てが完了したノーズ・ケース。エンジン本体との結合を待つ状態。シリーズによって、プロペラ減速比に違いがある。プッシュ・ロッドを取り付ける孔が、放射状に配置されている。この状態で高い位置が吸気側、低い位置が排気側になる。

減速ギヤの取り付け

カム・リングを取り付けた後に、トーチなどで温めてマニュアルの指定温度まで温めた減速ドライブ・ギアを、はめこんでナットで締め付ける。この減速ドライブ・ギアに、ノーズ・ケース内の遊星ギアが噛み合う。減速ドライブ・ギアの分解時は、油圧プレスで引き抜くのだが、なかなか外れず苦労させられる場合が多い。

ノーズ・ケースのリーク・テスト

ノーズ・ケースは、エンジン本体へ組み付ける前に、テスト・リグで油圧をかけ、リーク・テストを行う。6枚の遊星ギアが確認できる。このテスト・リグも、戦時中の年代物だ。ライト社のオリジナルと思われるが、他のエンジン・パーツの油圧テストにも使用している。

Wright R-1820 Cyclone 9

Chapter ▸▸ 05

Maintenance Machine

整備用機械

バレル・ホーニング・マシン

シリンダー・バレルとヘッドの整備は、液冷V型でも空冷星型でも、エンジンに関するもっとも重要な作業である。また、かなり時間を要する作業（空冷星型では14、18と気筒数が増えるほど大変になる）でもあり、流れ作業で短時間でのうちに整備を完了させせることは、飛行機の稼働率にも影響を及ぼす、重大なファクターであろう。V.A.E.では当時の設備を利用して、シリンダー・バレルとヘッドの整備を行っている。現代の工作機械でも、整備は可能であろうが、やはり考え抜かれた取り付け治具、使い勝手も含めて、当時の機械の方が、格段に作業性が良い。これはバレル・ホーニング・マシンで、簡単にバレルが180度回転して寸法確認、切削、研磨が無駄なく行える。

多軸加工マシン

バレル素材にクランク・ケース取り付けボルトが、貫通する孔を（通常20孔）一作業で行えるドリル・マシン。

バルブ・シート・カッター

ヘッドのバルブ・シートを、カッティングする砥石と、様々な太さのバルブ・ガイド径に対応するためのシャフトが目をひく。シリンダー・ヘッドは、バルブ・シート・フェイスの機械加工後、メカニックの手による修正とコンパウンドを使った擦り合わせ、シート・フェイスの漏れ試験（空気圧を利用）を経て完成する。

流れ作業

各工程ごとに作業が終了すると、レールの上をシリンダー・バレルが流れてゆく。規模は縮小されているが、ほぼ戦時中の状態に近い。大工場ではこの何十倍、何百倍という規模で、エンジン生産が行われていたのだろう。当時の力強い工業力の象徴である。

Column 05

スパーク・プラグの不思議

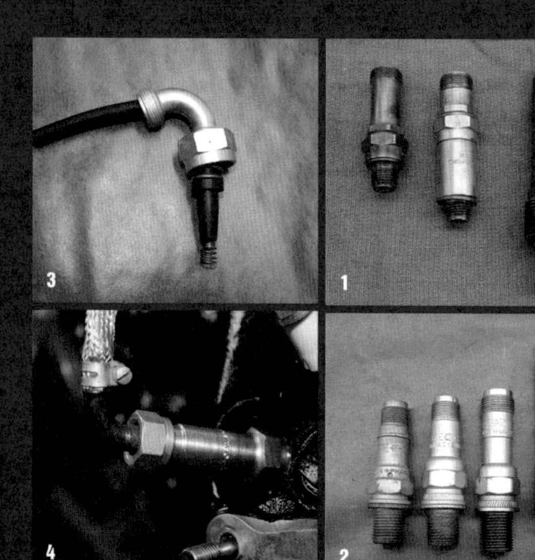

3
スパーク・プラグに接続するパーツは、このような米国製部品に改造して装着する。当然ながら配電線は、すべて新品に交換する。ナットのついた屈曲したパーツ（スパーク・プラグ・エルボーという）は、金属製で90°、45°、110°、180°と、各種エンジンのシリンダー配置に合わせて選択できるようになっている。先端に見える小さいスプリングが、スパーク・プラグ内の端子に接触する。

4
改造後のDB601スパーク・プラグへのコネクション。スパーク・プラグは、チャンピオン製REL38に交換。接続するナットを、U.S.インチに交換して対応した。このエンジンのスパーク・プラグ・エルボー（黒色部分）は、オリジナルを使用している。

1
左からDB601、BMW801、セントーラスMk.18のオリジナル・スパーク・プラグ。各社様々な形状で製造されている。さすがにセントーラスだけは、特殊すぎて合う代替品がないため、程度の良い物をスパーク・テストしたうえで再使用している。その根本に設けられた空冷フィン（!!）に注目。

2
現状で入手可能な米チャンピオン製スパーク・プラグ3種。ほとんどのエンジンは、この3サイズでまかなえる。比較のため右端にセントーラスのプラグを置いてみたが、その特異性が際立っている。

調子よく回るエンジンは、『良い圧縮』、『適正な燃料供給』、『良い火花』という、三要素が揃わなければならない。これは巨大な大戦機エンジンでも、まったく同じである。とかくレストアというと、ピストンやクランク・シャフトなどの大物パーツ、精密なキャブレター、フューエル・インジェクション機構が注目（確かに使えるまで仕上げるのは、かなり大変なのだが）されるが、『良い火花を飛ばす』電装品のオーバー・ホールも、実は大切な作業なのだ。

スパーク・プラグとコンタクトする部分は、各エンジンごとに様々な仕様なのだが、オリジナル部品を使って再生することは、まずあり得ない。一番の理由は、熱の影響を受けやすく、パーツの腐食が酷いためである。では、どうするかというと、すべて米国製部品に交換してしまうのだ。アメリカでは、いまでも様々な部品が、新品で入手できるため、コストと時間の節約にもなるし、壊れた時も容易に直せて、まさに良いことずくめなのである。

ところでBMWやDBは、メトリック規格で製造されているので、米国製スパーク・プラグが取り付けられないのでは？と、疑問が生じることだろう。だが、心配は無用。ちゃんとメトリック規格で、ネジを切ったスパーク・プラグが市販されているのだ（1本2000円前後とやや高価だが）。このスパーク・プラグは、マグネトーからスパーク・プラグへのコンタクト部ネジ（バレル部）は、U.S.インチ・ネジになっていて、ソケットが入るナット幅も、U.S.インチで加工されている。だから、ちょっと面倒なのだが、エンジン本体の整備はメトリック工具を使って、スパークプラグの取り外しには、U.S.インチ工具を使うことになる。

では米国製大戦機エンジン用スパーク・プラグのネジ規格は、どうなっているのだろうか？　答えはBMWやDBと同じ物を使うのだ！　米国製エンジンなのに、どうしてメトリック規格のネジが取り付けられるのだろうか、さぞ不思議に思うだろう。実は米国製エンジンのスパーク・プラグ孔も、なんとメトリック規格ネジになっているのだ。米国某社製のスパーク・プラグは、シリンダー・ヘッド・マウント部のネジがM14×1.0 かM18×1.5 で、バレル部のネジが5 /8インチ-24もしくは3/4インチ-20の組み合わせとなっており、これが現在の標準仕様のようだ。

当たり前だが、BMWやDBのオリジナル・スパーク・プラグ（ともにボッシュ製）のネジは、シリンダー・ヘッド・マウント部もバレル部も、メトリック規格で作られている。つまりスパーク・プラグのシリンダー・ヘッド部ネジ規格は、当時のボッシュ製品が、世界の基準になったからだと思われる。そこで米国製エンジンは、シリンダー・ヘッド・マウント部だけメトリック規格で作り、バレル部などメンテナンスにかかわる部分は、慣れ親しんだ工具が使えるU.S.インチ規格で製作したのではないか…と想像している。

Chapter ▸▸ 06

Shvetsov Ash-82

シュベツォフAsh-82

Soviet Union

Lavochkin La-9

ラヴォーチュキン La-9

無駄が無く引き締まったフォルム、大馬力エンジンを収める太い機首が、その高性能をうかがわせる。武装も見かけによらず強力で、機首にNS-23 23㎜機関砲4門を集中装備する。(Photo:Military Aviation Museum)

Reciprocating Engine

Shvetsov Ash-82

Chapter ▸▸ 06

簡素だが高機動性能で重武装 ソ連軍レシプロ戦闘機の集大成

Lavochkin La-9

Reciprocating Engine

Shvetsov Ash-82

Chapter ▸▸ 06

機体サイズは、メッサーシュミットBf109に匹敵するほど小型。胴体下面に大きく張り出しているのは、冷却液ラジエータではなく潤滑油クーラーで、大馬力エンジンの冷却（油空冷）に寄与する。

性能的には初期のジェット戦闘機に迫り、翼端から水蒸気の尾を引いて高速ダイブする。朝鮮戦争では国連軍機（主に米空軍）を、意外なほど数多く撃墜している。

1,850馬力を発生するシュベツォフAsh-82FN空冷星型複列14気筒エンジンが、ホーカー・シーフューリーやF8Fベアキャットなど、西側の最終世代レシプロ戦闘機と遜色ない性能を引き出している。

赤軍は航空機開発でも、巧みに「飴と鞭」を使い分け、複数の設計局を競わせていた。開発責任者は、成功作したら勲章と身分向上、失敗作なら投獄という、他国では考えられない恐怖の統制下で、大戦中期以降にめきめきと頭角を現したのが、ラヴォーチュキン設計局であった。

資材を節減して、大量生産を最優先に据える赤軍戦闘機の中にあって、全金属モノコック構造を採用した集大成ともいえるのが、大戦末期の絶頂期にラヴォーチュキン設計局が開発したLa-9である。金属木製混合構造の前作La-7が、予想外の成功作となったため、ラヴォーチュキン設計局は全金属製で、構造も近代化したLa-9の開発を推進した。だが、初飛行は1946年となり、惜しくも祖国大戦争（第二次大戦のソ連流呼称）には間に合わなかった。全備重量3t強の軽量コンパクトな機体に、1850馬力の強力な空冷星型エンジンを搭載したLa-9は、共産圏諸国の最終世代レシプロ戦闘機であり、ジェット移行期にもかかわらず、朝鮮戦争では北朝鮮・中国軍の主戦力として、期待以上の活躍を見せたのである。

ここに紹介するLa-9は、かつての中国空軍機であり、なんと廃機になった垂直離着陸ジェット戦闘機ハリアーと物々交換されたという、怪しげな話を伝え聞く。この取引は成立し、ニュージーランドに移送してレストアを行った後、米国人大戦機収集家に売却された、世界で唯一の飛行可能なLa-9である。

ソ連軍機らしく簡潔な操縦席。レザーバック型だが後部風防は透明で、後方視界は良好だ。キリル文字と漢字、英語が入り混じった計器類が、本機の数奇な運命をうかがわせる。

Specifications ［ **Lavochkin La-9** ］

全長	8.63m
翼幅	9.80m
全高	3.56m
翼面積	17.6㎡
機体重量	2,638kg
全備重量	3,425kg
最大速度	690㎞/h
上昇率	1,064m/min
実用上昇限度	10,800m
航続距離	1,735㎞
エンジン	シュベツォフAsh-82FN
	空冷星型複列14気筒
	最大出力1,850hp
武装	23㎜機関砲×4門

大空を翔ける勇姿は、紛れもなくフォッケウルフFw190そのもの。搭載するAsh-82のキャブレーターはダウン・ドラフト（降流式）のため、機首上面のインテークから空気を取り入れる構造が、オリジナルとは若干異なっている。(Photo:Military Aviation Museum)

20機分のキットが再生産されたFw190

Flug Werk 190

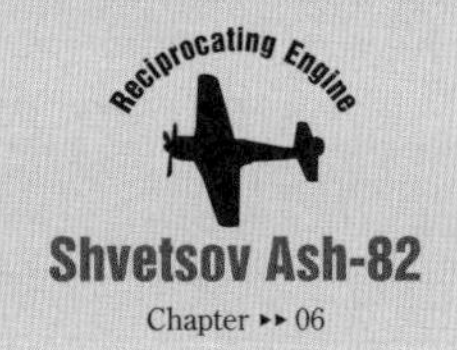

Shvetsov Ash-82

Chapter ▸▸ 06

窪ませた胴体側面へ排気管を集中的に配置することで、排気を無駄なく推力に変換して速度向上を狙う、独特の構造も踏襲。焼け焦げてススが付着して機体外板が、飛行可能機であることを物語っている。

Fw190は10機近くが飛行可能な状態にあり、その多くはAsh-82を搭載している。BMW801と同じ空冷星型複列14気筒で、出力とサイズ、重量が似通っているうえ、戦後も長らくソ連以外に共産圏諸国や中国などで生産されていたため、入手しやすいことが理由である。

機首前面の環状オイル・クーラーは、製造コストと信頼性の問題で再現されていない。替わりに主翼付け根に円筒状オイル・クーラーを埋め込んで、潤滑油の冷却を行っている。

20機分のキットが製造されたFw190は、当時の図面や現存する部材を基に再生産（リプロダクション）されているため、外観・構造とも限りなくオリジナルに近い。

敗戦国となったドイツが保有していた兵器類は、技術資料としてごく一部が連合国に接収された以外は、徹底的に破壊し尽くされた。必然的に当時の状態のまま飛行できる独空軍機は皆無であり、また復元・新造された飛行可能機も、ほんの数えるほどしか現存していないのだ。

独空軍機を復元・新造して、航空博物館や大戦機収集家に販売するビジネスは、もっか複数のプロジェクトが進行している。その中で最も規模が大きく、大成功を収めたのが、この『Ｆｗ１９０組み立てキット』である。ドイツのFlug Werk GmbH（フルッグヴェルク社＝『航空機製造会社』）は、およそ80％が残存しているフォッケウルフＦｗ１９０のエアフレームと多数の図面を基に、１９９０年代後半から構造部材と部品類の再生産に着手した。大陸内部で活動した独空軍機は、意外に残骸や部品類が数多く残っているからだ。部材の新造作業は、主に人件費の安いルーマニアで行われ、２００５年には原型機にほぼ忠実なＦｗ１９０Ａ-８第1号機が初飛行に成功した。この情報が航空関係者に伝わると、注文が殺到したためＦｌｕｇＷｅｒｋ社は、最終的に20機分のキットを生産して販売した。ちなみにこのキットは外観、構造ともに紛れもないフォッケウルフＦｗ１９０なのだが、商標権と歴史的背景の問題から"フォッケウルフ"の名称を使わず、あくまでFlug Werk社の頭文字を採った『Ｆｗ１９０』である。

操縦席も原型機に準じて、ほぼ忠実に再現されているが、計器の多くは米国製に換装されている。もちろんコマンド・ゲレーテは非装備のため、混合気調整レバーやプロペラ・ピッチ・レバーは、独立して配置されている。

シュベツォフAsh-82 徹底解剖

かなり大柄なエンジンであるが、スリムな造形のノーズ・ケースが、すっきりした印象を与える。本来の塗装色は、米国製エンジンのような青系だが、このエンジンはFw190（リプロダクション＝再生産）に搭載するため、BMW 801風に塗装してある。V.A.E.がレストアを手掛ける初めてのソ連製エンジンであったが、そのルーツは米国製エンジンにあり、すでにBMW801を整備（構成が似ている）した経験もあって、思ったほど苦労することなく組み立てることができた。これまで私は、ソ連製の大量生産工業品（とりわけ航空エンジンなんて、専門職でなければ、まず目にすることないだろう）を見たことがなかったので、大変興味をもって取り組むことができた。このエンジンは、M-25から続く米国製エンジンの流れと、ドイツ製エンジンの模倣が融合して、そこに独自のデザインを織り込んだエンジンである。とはいえ、いまひとつ洗練されていない印象を受けるのは、やはりソ連の国状を反映した結果なのかもしれない。いまのところレストア依頼が来るのは、すべてFw190リプロダクション機に搭載する予定のエンジンである。

Shvetsov Ash-82

Specifications

空冷複列2列14気筒	
ボア×ストローク	155.5×155mm
排気量	41.2リッター
全長	2,010mm
外径	1,300mm
圧縮比	6.9：1
減速比	0.574：1
過給機	遠心式1段1速
離昇出力	1900hp@1,530rpm

1930年初頭、ソビエト連邦の航空エンジン開発力は、他国に比べ明らかに遅れをとっていた。そこで次期戦闘機に搭載するエンジンを、米国ライト社製R-1820Fとすることを決定した。その交渉プロジェクトに、後年Ash-82を設計することになるA.D.シュベツォフが含まれていた。1892年生まれのシュベツォフは、モスクワ帝国高等学校でエンジニアリングを学び、1921年に卒業後、第4設計局に入局した。やがて航空エンジン中央研究所を設立し、チーフ・エンジニアとして名を成した人物である。

1933年になって、ようやく米国か

後方から見たAsh-82

外径寸法はBMW801とほぼ同じなのに、なぜか間延びした感じがするのは、インテーク・パイプのレイアウトと、アクセサリー・ケースの補機類が少ないこと、さらにパーツとパーツの空間が広いため、メカニカルな印象が薄いためである。

ら150基のエンジンと、そのスペアパーツを購入することができた。ただちにソ連国内で、エンジンの組み立てを開始したが、すでにR-1820Fは、技術的に遅れた仕様となっていた。そこでR-1820を上回るエンジンの開発が、A.D.シュベツオフに依頼された。そしてライト社の技術、手法を参考にしつつ、米国から買い付けたパーツも流用して、空冷星型単列9気筒エンジンM-25が完成したのである。実のところM-25は、R-1820をメトリック規格で設計し直した、いわばコピー版エンジンであったが、1930年代末までソ連の重要な航空エンジンのひとつとなった。また1937年に開発したM-62（M-25の改良版）は、リスノフLi-2輸送機やポリカルポフI-16戦闘機の後期型など、多くのソ連軍機に搭載された。さらにシュベツォフは、1938年頃よりM-25をベースとした、14気筒エンジンと18気筒エンジンを企画し、14気筒エンジンをM-80シリーズ、18気筒エンジンをM-70シリーズと命名、系統立て開発を推進した。

ここで紹介するAsh-82（アッシュと発音する）は、1939年より開発が始まったM-82の名称変更であり、シュベツォフが存分に辣腕を奮って設計したエンジンである。このAsh-82はラヴォーチュキンLa-5／La-7／La-9戦闘機やスホーイSu-2偵察爆撃機、ツポレフTu-2爆撃機、ミルMi-4ヘリコプターなど、多機種に搭載され、その派生バージョンは実に22型式にもおよび、総生産数は約7万基にも達するシュベツォフ最大の成功作となった。ちなみにAshという型式名は、シュベツォフの名前"A.Sh."の頭文字に由来し、先の命名規定変更後は、彼が開発したエンジンにはすべてAshの名称が付与された。Ash-82系エンジンは、大戦後もソ連だけでなく中国やチェコスロバキアなどで長らく生産されたため、比較的程度の良い個体が、現在でも入手しやすい大戦機エンジンである。

1, 2, 3

シリンダーの組み立てから完成までの流れ

星型空冷複列エンジンを整備するには、プロペラ・シャフトを起点にして進めていくことがお解かりいただけるだろう。このスタンドは戦時中の製造品だが、今でも十分実用に耐える。ハンドル操作でエンジンを、垂直方向でも水平方向でも、自由に動かすことができるため、任意の位置で整備を行える。

Shvetsov Ash-82

Chapter ►► 06

Piston

ピストン

ピストン

オーソドックスなデザインで、米国製エンジンと酷似している。写真では分かりづらいが、スカートには油膜保持のため、ディンプル加工が施されている。

ピストン裏面

ピンとシリンダー・ボアの受けは、ブロンズ製ボタンが両側に圧入される。ピンの保持は、ボタンを軽く挿入してあるだけで、完全圧入してしまうもの、ボタン無しでクリップで止めるものなど、色々なタイプがあり、地味ながら設計者のセンスが端的に表れる部分だ。軽量化のため一部を、機械加工している。肉厚はあるが、表面は綺麗な仕上がりだ。

Cylinder

シリンダー

シリンダー・ヘッド

冷却フィンは、とても米国製エンジンをベースにしたとは思えないほど、雑な仕上がりだ。せっかくの段違いフィンも、この仕上げでは本来のポテンシャルを発揮できないだろう。ただし、この冷却フィンの形式は一世代前のもので、この後に続くAshシリーズで、どう改善されているのか興味あるところだ。それはさておき、Ash-82はスパーク・プラグ（右の孔）を前後に分散して、インジェクターをシリンダー・ヘッド吸気よりに配置（写真の左の孔）している。この点はBMW801と異なり、燃焼に対する考え方の違いが、はっきり表れていて、これまた興味をそそられる。

シリンダー・バレル

ヘッド部とは一転して、バレル冷却フィンはそれなりの仕上がりを見せる。しかし冷却フィンを、上から下まで連続的に構成する、R-1820の流れるような美しさはない。生産技術が低かったとも考えられるが、もしかしたらシュベツォフは、目的に合致した必要にして十分な性能を確保できれば、工作精度はそれなりで良いと、割り切っていたのかもしれない。

シリンダー・ヘッド後方より見る

右側が吸気ポート、左側が排気ポートになる。大きくオフセットしているのが特徴的だ。中央下に見えるのが、後方のスパーク・プラグ孔である。

タペット・クリアランス

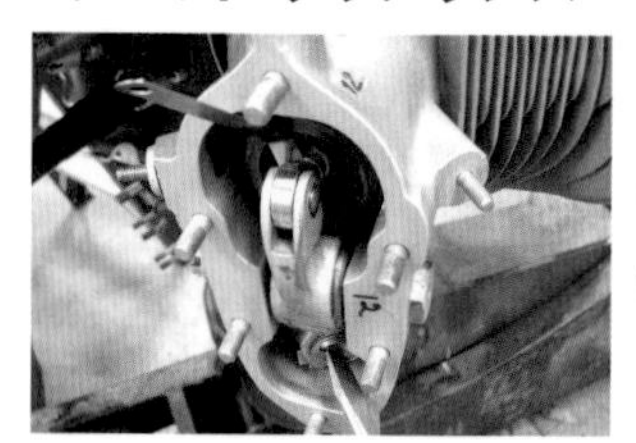

タペット・クリアランスは、2番気筒と5番気筒を1.9㎜に合わせる。他気筒は0.35㎜と変則的。バルブタイミングは吸気開き23° BTDC（上死点前）、同閉じ66° ABDC（下死点後）、排気開き74° BBDC（下死点前）、同閉じ25° ATDC（上死点後）となる。

ロッカー・アーム

ロッカー・アームはセンターにローラー・ベアリングを使用して、フリクション低減を図っているのは他の空冷星型エンジンと同様。R-1820、BMW801などのロッカー・アームと比較すると、ちょっと無骨で重い。

シリンダー・バレルの取り付け

シリンダー・バレルを固定するボルトは、ロック・タブではなくワイヤー・ロックを行う。R-1820のようにタブを利用すれば、作業が確実で早くなるのに採用されていない。Ash-82は全般的に凝った小物、気のきいたパーツといったものが少ない。

バルブ・タイミングの確認作業

スターター・モーター取り付け部に、タイミング・ホイールを装着してバルブ・タイミングの確認を行う。プロペラ・シャフトが整備スタンドに固定されているので、シリンダーを押せばクランク・シャフトが回転して、読み取ることができる。しかし大変な力技となり、しんどい作業である。

燃料パイプ

フューエル・インジェクション・ノズルへ伸びるパイプは、黄色く塗装されてBMW801の雰囲気を演出している。

吸気／排気用プッシュ・ロッド・カバー

プッシュ・ロッド・カバーは、シリンダー・ヘッドに向かって緩い角度を付けて結合されているので、組み立て時に向きを間違えないよう気をつける。またプッシュ・ロッドは、吸気と排気で長さが違うため、注意が必要だ。

シリンダー・ヘッド周辺

シリンダーヘッド周辺のパーツ組み立てが、ほぼ終了したAsh-82。エア・バッフルが、大胆にシリンダーヘッド上面まで覆っている。これが冷却フィンの出来の悪さを、幾分か覆い隠しているのかもしれない。

エア・バッフル

手作り感あふれる造作のエア・バッフル。止め方は煩雑だが、パーツ点数が少ないため、BMW801よりやり易い。一部が溶接で作られており手間はかかっているが、シリンダー・バレルとの隙間が大きく、あまり良い出来とはいえない。

Exhaust Pipe

排気管

オイル・サンプ

エンジン・マウント・フレームの間に、オイル・サンプ（アルミニウム製の四角い箱）が確認できる。これはオリジナル部品ではなく、一品物で製作した。というのもFw190（フルゥグレック190）へAsh-82を搭載する場合、オリジナル仕様だと機体側に干渉する箇所があり、使えないからである。

推力増加式排気管?

エキゾースト・パイプは原型機Fw190と同様に、ジェット効果を狙う側方集合配置を採る。もともと搭載していた機体が、Fw190ほどの高性能機ではないため、レイアウトに無理があるのは理解できるが、BMW801のようにパイプ端を絞り込んで、推進効率を高めたデザインでないのは……？

エキゾースト・パイプ

エンジン・マウント・フレームに架装されて、テスト・ランを待つ状態となったAsh-82。エキゾースト・パイプはφ80㎜ほどのパイプをつなぎ合わせた、造形美などとは無縁の味気ない代物。ここはBMW801の"圧勝"だ。

Shvetsov Ash-82

Chapter ►► 06

Rear Section

エンジン後部

吸気通路

吸気通路の中に、取り付けナットが2か所ある。緩み止めがあるとはいえ、ブロワー内にナットが落ちたら悲惨きわまりない。妥協の産物か、設計者の怠慢か、安直なデザインである。

ブロワー・ケースとアクセサリー・ケース

Ash-82はエンジン上方より吸気をするが、アクセサリー・ケースの一部が、吸気通路となっている。四角い金属製スクリーンが吸気入口。その側面に付いているのは、フューエル・プライマー（始動時に燃料をブロワーに供給する）。スーパーチャージャーは1段2速の高馬力仕様もあるが、Fw190（リプロダクション）に搭載するために、スペースの関係で薄いハウジングを選択する。

オイル・サンプ（オリジナル）

右の黒い箱がオリジナルのオイル・サンプ（容量が大きい）。Ash-82はオイル・サンプを先に組み立てると、エンジン・マウント・フレームが装着できなくなる。その左上に見えるのがオイル・ポンプ。隙間がなさ過ぎて、ポンプ内側に工具がアクセスできない。機上の整備性を考慮しているとは、とても思えないレイアウトだ。

アクセサリー・ケース上面

アクセサリー・ケースは、シンプルな構成でインジェクション・ポンプとオイル・ポンプ、スターター・モーターが装着される。

吸気パイプ

吸気パイプは相対的に長めのようだ。空冷星型複列エンジンの吸気パイプ・レイアウトは、限られたスペースの中でいかに巧くデザインするか、設計者のセンスが問われるところである。左に見える半長円型の箱は、エンジン下部に位置しており、吸気パイプと連結されている。エンジンが停まっている間に、下がってきたエンジン・オイルを受けて、吸気ポート内にオイルが溜まるのを防ぐ、一種のキャッチ・タンクである。

Shvetsov Ash-82

Chapter ▸▸ 06

Nose Case

ノーズ・ケース

ノーズ・ケース

ノーズ・ケース上面に、マグネトー2基を配置。その間にはプロペラ・ガバナー機構を搭載する。マグネトーの後方に、各気筒へ配電するハイテンション・コードが見える。Ash-82のノーズ・ケースは、長くて無駄なスペースが多い気がする。個々の補機類が、大きいことが原因であろう。

エンジン銘板

ノーズ・ケースに鋲止めされた銘板には、ドイツ語で『VEB工業社 カール・マルクス・シュタット県』と表記され、製造は1962年の刻印がある。このAsh-82Tは戦後、共産圏の東ドイツで製造されたのであろう。

Shvetsov Ash-82

Chapter ▸▸ 06

Injection Pump

燃料噴射ポンプ

3

2

1

1, 2, 3

インジェクション・ポンプ

ドイツ製であればボッシュ社かディッケル社だろうが、Ash-82のインジェクション・ポンプの製造メーカーは、判然としない。しかし構造と形状は、ドイツ製にそっくりである。機構としては吸気圧とブースト圧を、アネロイドでセンシングしている。噴射タイミングは30° ATDC（上死点後）である。

Shvetsov Ash-82
Chapter ▸▸ 06

Magneto

点火系

マグネトー

マグネトーはほぼ新品の状態を維持していたので、軽い点検を行いスパーク・テストをおこなった。デストリビューター・ブロックとローターが見える。通常、起点になる箇所が決まっているものだが、中国製とソ連製では違うポイントに結線されていて、組み立て時に混乱した。単純なメカニックのミスだと思われる。点火タイミングは21°BTDC（上死点前）で、2番気筒を基準としている。点火順序は1-10-5-14-9-4-13-8-3-12-7-2-11-6となる。エンジン最上部後列気筒が1番気筒になり、エンジン後方より見て右まわり前列が2番気筒で、以下後列3番気筒……という順番である。

スパーク・プラグ冷却溝

エア・バッフル中央に、膨らみがあるのが確認できるだろう。エンジン前面から流入した空気を、スパーク・プラグに導いて冷却を行う導風溝である。特に後列のスパーク・プラグは、熱的に厳しいので、良いアイデアだと思う。

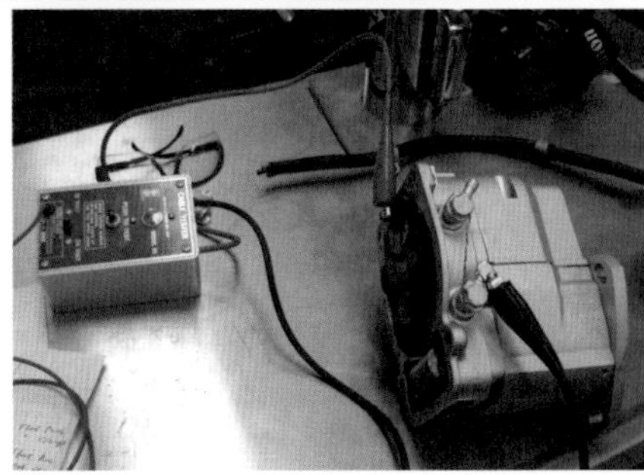

マグネトー外観

ノーズ・ケース上部に、V型配列で搭載される2基のマグネトー。ハイテンション・コードは、後方の黒いパイプ内で一端束ねられた後、各気筒スパーク・プラグに接続される。

飛行可能な日本軍機のエンジン

4
零戦21型の機首に収まる代替エンジンP&W R-1830。栄発動機より直径がわずかに大きいため若干、機首が太くなってしまう。

3
エリクソン・エアクラフト・コレクション（オレゴン州マドラス）が所有する、飛行可能な唯一の一式戦闘機隼III型甲。

2
栄発動機で飛行する零戦52型。当時のエアフレームが多く残り、もっともオリジナル度が高い零戦である。

1
現状で唯一、稼働する栄31甲型発動機。プレーンズ・オブ・フェイム航空博物館は、零戦52型の飛行展示を年間に数回、実施しているので、いまも栄発動機の爆音を聴くことができる。

大東亜戦争中に生産された日本軍機は、戦闘機や爆撃機、偵察機などを含めて総数3万4,000機余り。その大多数は戦闘行動により喪失し、残存機も敗戦と共にほぼすべて廃棄処分されてしまった。したがって現状で、飛行可能な日本軍機は、海軍零式艦上戦闘機（零戦）が5機、陸軍一式戦闘機隼1機の合計6機が、アメリカに現存するのみである。

その中で唯一、オリジナルの栄31甲型発動機で飛行できるのが、プレーンズ・オブ・フェイム航空博物館（カリフォルニア州チノ）が所有する零戦52型である。同機は大戦末期にサイパン島で米軍に捕獲され、米本土に搬送して飛行試験を行った後、戦後は民間でレストアされたため、現在でもオリジナルの栄発動機で飛行できるのだ。その他の5機は、南洋諸島あるいは北方諸島で回収された残骸を基に、復元というより新造された機体である。

そして、それら新造機が搭載するエンジンは、オリジナルの栄またはハ115ではなく、すべて米P&W R-1830ツイン・ワスプである。南洋・北方諸島の激しい風雨に長年さらされていた機体は、残骸を基に部材を新造する“リーバース・エンジニアリング”という技法で再生できても、構造が複雑なエンジンは、稼働状態までレストアすることが非常に困難なのだ。そこで栄発動機（陸軍名称ハ115）設計の参考となり、仕様が近似したP&W R-1830を代替エンジンとして搭載するのである。

同じ第二次大戦の敗戦国でも、近年、オリジナル・エンジンで飛行するドイツ空軍機が増えている理由は、戦場となった地域の違いにある。原則的に陸伝いの戦いとなった欧州戦域では、廃倉庫や農家の納屋など思わぬ場所から、新品同様のエンジンを発掘するケースが、多々あるのだ。また北欧の森林地帯やロシアの淡水湖など、低温状態で“保存”されていた墜落機を、回収してエンジン共々レストアに成功したケースも少なくない。後出の零戦32型と栄21型発動機のような例もないわけではないが、南洋諸島や東南アジア奥地など、自然・気象条件が厳しい地域で回収された日本軍機が、オリジナルのエンジンで飛行することは、極めて困難なのが実情であり、日本人としては寂しい限りだ。

Nakajima Sakae Type21

中島 栄21型発動機

Japan

Mitsubishi A6M3 Zero Fighter

三菱海軍零式艦上戦闘機 32 型

STAFFEL
Flies
Again

ほぼ組み上がった機体には塗装が施され、初飛行もそう遠くはないと思われる。なおエンジンは再生した栄21型ではなく、信頼性と耐久性を考慮した結果、米国製P&W R-1830ツイン・ワスプを搭載する予定に変更された。

Nakajima Sakae Type21

Chapter ▸▸ 07

近年中の初飛行を目指し 復元作業が進む 稀少な零戦32型

Under restoring rare A6M3 ZERO

数ある零戦の型式の中でも、そのフォルムが異彩を放っているのは、翼端を切り詰め角形に成形した32型である。現在、飛行可能な零戦は、米国に5機が存在するが、残念ながらその中に32型は含まれていない。

そこでオレゴン州エバーグリーン航空宇宙博物館は、マーシャル諸島タロア島で回収した零戦4機分の残骸を基に、部材を新造するリバース・エンジニアリングを駆使して、飛行可能な零戦32型を再生する計画を立案した。2001年にコロラド州ヴィンテージ・エアクラフト社で始まったこの計画は、2012年からワシントン州レジェンド・フライヤー社に移管され、もっか組み立て作業は最終段階を迎えている。

この零戦は、型式が希少な32型というだけでも驚きだが、再生した栄21型発動機で飛行する予定だというから、日本軍機ファンの期待は、いやがうえにも高まることだろう。昨今のコロナ禍により、完成期日は明らかにされてはいないが、レジェンド・フライヤー社は「近年中の初飛行を目指す」と語っている。

タロア島で発見された当時の状態。すでに主翼は崩壊し、かろうじて原形を保つのは中央胴体のみだった。

主脚は上質クロームモリブデン鋼で、激しい腐食や劣化が見られなかったため、回収機のものを洗浄・加工したうえで、X線検査を行った後に再利用している。

Nakajima Sakae Type21

Chapter ▸▸ 07

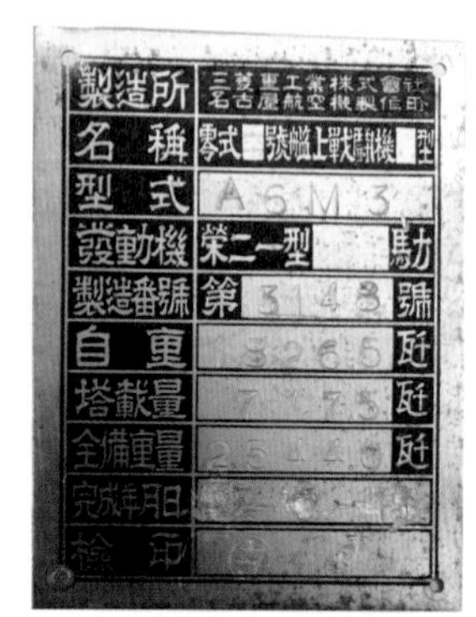

製造所	三菱重工業株式會社 名古屋航空機製作所
名稱	零式■號艦上戰鬪機■型
型式	A6M3
發動機	榮二一型　馬力
製造番號	第3148號
自重	瓩
搭載量	瓩
全備重量	瓩
完成年月日	
檢印	

同時に回収された銘板から、三菱重工名古屋航空機製作所で製造された零式二号艦戦（32型）第3148号機と判明した。

完成後の予想イラスト。回収機は零戦32型［報国994号］（民間の献金で製造した機体に付与される称号）で、現用飴色塗装の千歳航空隊所属機だった。

基本配置が整った操縦席。細部に至るまで造形は素晴らしく、各部に記入された日本語も正確で、完成後には現存零戦中、随一の完成度になると予想される。

レストア中の 中島 栄21型発動機

Nakajima Sakae Type21

Specifications

空冷星型複列14気筒		全長：	1,472㎜
排気量：	27.9ℓ	直径：	1,150㎜
ボア×ストローク：	130×150㎜	エンジン重量：	590kg
圧縮比：	7.2：1	過給形式：	遠心式1段2速
減速比：	0.5833：1	離昇出力：	1,100hp@2,700rpm

三菱重工と双璧を成す巨大企業・中島飛行機が、その総力を挙げて開発・生産した栄（サカエ）発動機は、日本陸海軍を代表する戦闘機、零戦と隼（陸軍型式名称はハ25およびハ１１５。後に陸海軍統合名称でハ35となる）の双方に搭載され、太平洋戦争全期間を通じて戦い抜いた、日本を代表する１０００馬力級空冷星型複列14気筒エンジンである。栄系列は11型から始まり、最初の量産モデル12型を経て、過給器を1段2速式に改めて馬力を向上させた21型（逆回転仕様の22型）、さらなる馬力向上を狙った水メタノール噴射装置付きの31型（仕様違いで甲、乙、丙がある）と改良が進み、総生産数は他社転換生産も含めると、日本製航空エンジンとしては、空前絶後の3万余基と記録されている。

日本の航空エンジン開発は、外国からの輸入、模倣を経て、独自設計へと発展してきた歴史がある。中島飛行機もその例外ではなく、英国ブリストル社、米国プラット&ホイットニー（P&W）社、カーチス・ライト社のエンジンを、ライセンス生産することから始まった。そして栄発動機の開発にも、戦前、ダグラスDC‐3輸送機と共に、ライセンス生産権を取得していたP&WR‐1830ツイン・ワスプの影響が、色濃く見て取れる。とはいっても、栄は単純なコピー版などではく、中島独自の設計だと断言できる。例えば構造面では、クランク・シャフトを三分割式にすることにより、マスター・コンロッドを一体型で製造して、しっかり独自色も打ち出している。また外寸法も日本の国状に合わせて、軽量コンパクトにまとめ上げ、整備性も良好である。

私は実際に栄に触れてみて、各カバー、ケース類の隅肉面の構成（美しいR処理）、パーツが重なりあう場合の逃げ、工具がアクセスしやすいように配慮されたネジ頭の大きさ、左ネジ箇所の注意書き表示など、実に日本的な細かい配慮がなされた設計だと感じた。大戦中期以降は補給物資の欠乏で、満足な整備ができなくなると、熟練した整備兵は部品をやりくりして、調子の良いエンジンに仕立てていたと聞いている。栄発動機は鋭い先進性こそ備えていないが、オーソドックスな設計で実用性、安定性の高いエンジンといえる。それゆえ大戦終結まで使い続けることができたのだろう。

（右ページ）V.A.E.では前出・零戦32型に搭載する予定の栄21型が、レストアを待っている状態だ。すでに全分解を終え、洗浄も終了した。破損した部品の修理、欠損部品の確認、不足部品の調達を試みている状態である。しかしドイツ製エンジンと同じくらい、スペア・パーツの入手が難しいことは、大戦機ファンなら容易に想像できるだろう。発電機、スターター、真空ポンプ、キャブレターなどは、他エンジンからの流用が可能なので（これらのオリジナル部品は欠損しているか、使えない状態が多い）、大枠としてオーバー・ホール後のオリジナル度は、70％前後になるだろう。他の主なパーツは、非常に良い状態を保っているので、レストア完了後には、素晴らしい仕上がりになるだろう。新たな生命が吹き込まれ、栄21型の勇壮な爆音と共に、華麗に大空を翔ける零戦32型の姿が、近い将来に見られることを、私は確信している。

センター・クランク・ケース

機械加工の仕上げの良さは、特筆すべきものがある一方で、経年変化を差し引いても、鋳造の荒さが目立つ。列国に後れを取っていた、日本冶金技術の限界であろうか？

エンジン銘板

ノーズ・ケースに鋲止めされた『栄二一型』を示す銘板。大戦中期以降は物資節約と作業簡略化のため、この銘板は廃止されるので貴重である。さらにデータ・プレートも残っており、バルブ・タイミングやバルブ・クリアランスの値、点火順序などが表示されている。またこの栄発動機は、皇紀2602年（下二桁の02だけ表示＝昭和17年）10月15日製造の第21379号と判明した。

Nakajima Sakae Type21

Chapter ▸▸ 07

Piston & Cylinder Head

ピストン&シリンダー・ヘッド

1

1
シリンダー

通常、もっともダメージが大きいシリンダー・ヘッドは、良好な状態を保っており、すでにバルブ系パーツの組み込みも完了している。シリンダー・バレルには修正ホーニングを施し、燃焼室のカーボンも除去している。

2
ピストン

大戦機エンジンの内部部品で、特に悩みの種がピストンである。空冷星型エンジンの下部シリンダーは、水分が溜まって腐食が激しい場合が多い。新品のオリジナル・ピストンは入手不可能なので、ピストン・リングも含めて新造する予定だ。

3
センター・クランク・シャフト

このクランク・シャフトのセンターにベアリングが収まり、クランク・ケース中央に組み込まれる。前後のコンロッド・アッシーが、カウンター・ウエイトに挟み込まれる形で完成する。錆が少し表面に浮いていたが、良好な状態である。なんら問題なく再使用可能だ。

3

2

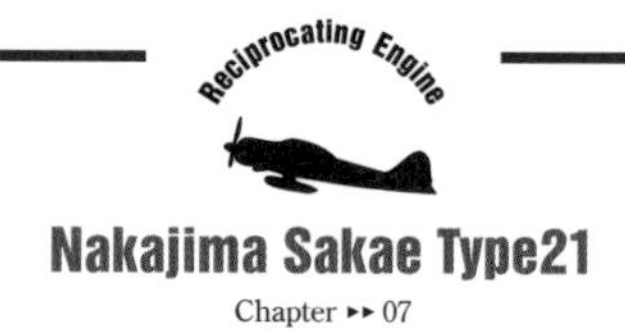

Nakajima Sakae Type21

Chapter ▸▸ 07

Crank Shaft

クランク・シャフト

クランク・シャフトの分解

分解は抜き用ボルトを締めこんでいくたけだが、セレーション部分が固着していた。そのため小型プレスを改造した抜き工具を製作。無事に分解することができた。

Nakajima Sakae Type21

Chapter ▸▸ 07

Propella Shaft

プロペラ・シャフト

プロペラ・シャフト

栄系列は型式により、減速比の異なる発動機が存在する。機械加工は丁寧で、きれいな仕上がりだ。米P&W製より細身で華奢、繊細な印象を受けるデザインだ。

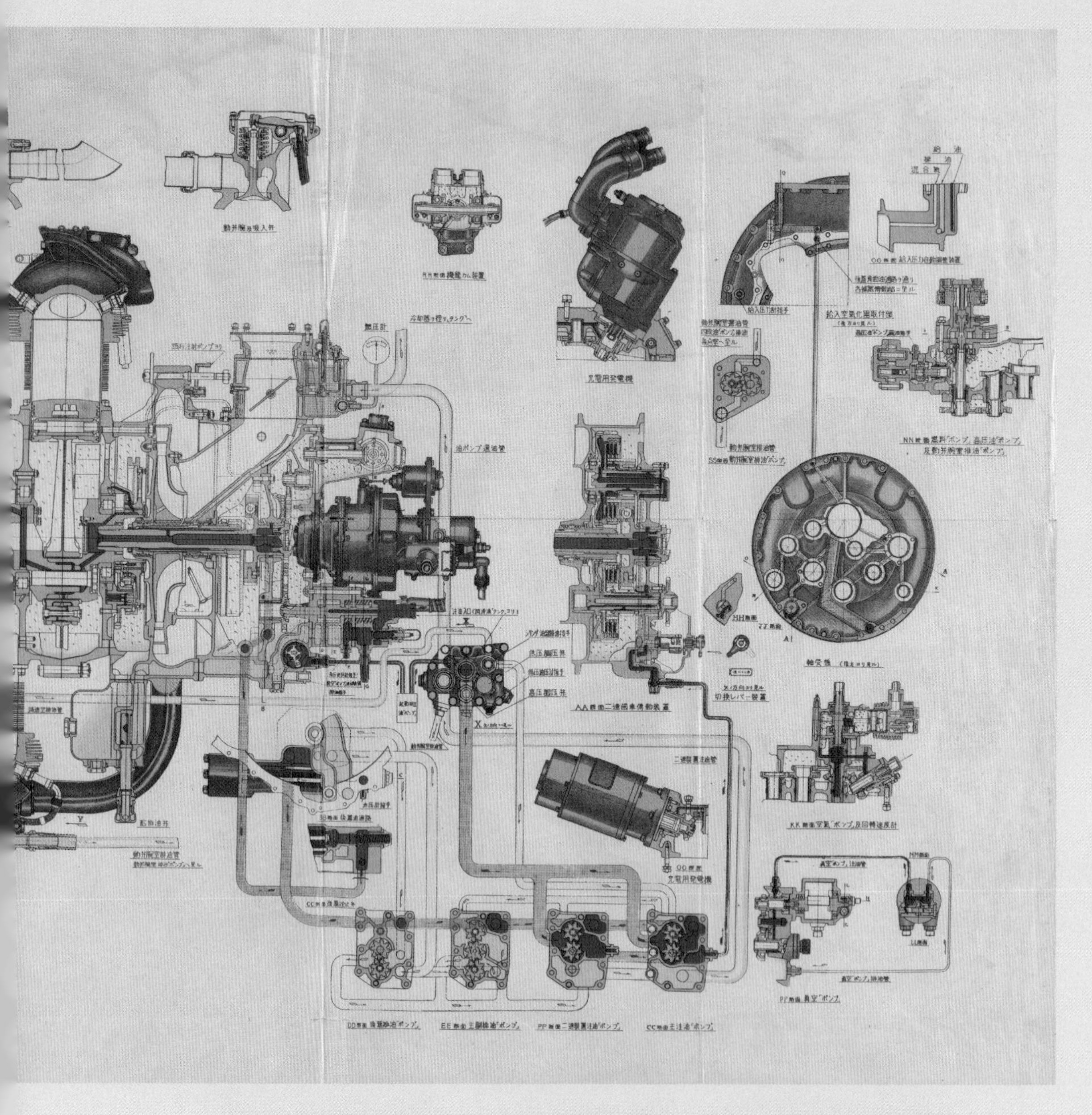

栄発動機二〇型取扱説明書
完全復刻版

電子書籍版 販売中!

零戦などが搭載した中島飛行機製の「栄発動機」。その整備のために中島飛行機が発行し、当時の整備兵が使用した取扱説明書（昭和18年3月発行）の原本を、電子書籍として完全復刻。栄の構造や整備ポイントなどが綴られた全372ページの解説誌面と、そこに折り込まれた多色刷りを含む図面32枚を高解像度スキャンして再現しています。原書タイトルは「栄発動機二〇型」ですが、本書は「二一型」「二二型」に関して言及されています。

「希少な二冊
復刻発売！」

詳細情報はこちらから
↓
http://editorsinc.jp/
（特別サイトを近日アップ予定）

2022年12月「復刻」発売予定

栄発動機
二〇型
取扱説明書
完全復刻版

- ケース入り三冊セット豪華版書籍
- 冊子「取扱説明書」（1色376p）
- 冊子「図面集」（図面32枚）
- 冊子「付録解説本」（4色48p）
- B5版変形
- YouTubeで観る特典映像50分
- 予価9,000円（税込）

2022年9月「新刊」発売予定

零戦五二型
レストアの
全記録

- B5版、総頁数144p
- オリジナルの栄発動機を搭載した
  POF所有の零戦五二型、全面レストアの記録
- YouTubeで観る特典映像60分
- 予価3,080円（税込）

※上記、仕様につきましては、
予告なく変更する場合がございます。
予めご了承ください

零戦が搭載した「栄二〇型」の整備マニュアル原本を完全復刻！

「第I-4101図 潤滑系統説明図」

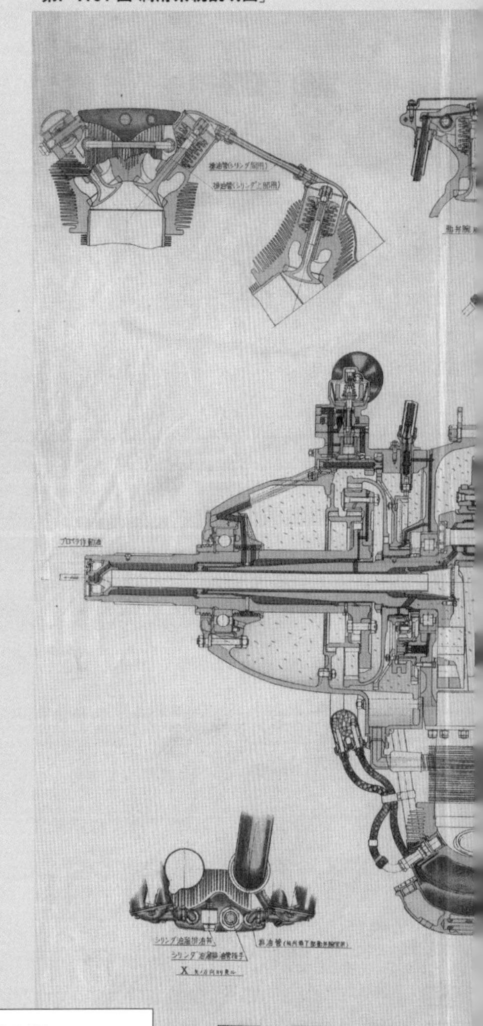

栄発動機
二〇型
取扱説明書
完全復刻版

栄発動機二〇型
取扱説明書
完全復刻版
7,638円（税込）
※DVDは未付属

傑作戦闘機とレシプロエンジン

Masterpiece Fighters & Reciprocating Engines of the World

著者・撮影／**佐藤 雄一**（さとう・ゆういち）

Author & Photographer : Yuichi Sato

1967年、群馬県生まれ。機械好きが昂じ、1985年からモーター・サイクルのレース・メカニックとなり、選手権タイトルの獲得に貢献。2008年からは航空機エンジン・レストア業務に携わり、現在に至る。世界各国の希少な大戦機エンジンを肌身で体感し、整備を行っている唯一の日本人専門職人であり、エンジン・メカニックとして日本とアメリカで30年にわたって活動。本書ではエンジン項目の解説のほか、写真撮影、映像撮影なども担当。

著者・撮影／**藤森 篤**（ふじもり・あつし）

Author & Photographer : Atsushi "Fred" Fujimori

1954年、長野県生まれ。日本大学理工学部航空宇宙工学専修コースにて、零戦設計主務者・堀越二郎博士らに学ぶ。その後、航空書籍編集に携わり、月刊『コンバット★マガジン』編集長を経て独立。現存する飛行可能な第二次大戦機の現地取材・撮影をライフワークとする。著書は『零戦小隊』『零戦と栄発動機』『メッサーシュミットBf109 & DB601/605』(枻出版社)、『紫電改取扱説明書』(太田出版) など多数。

Acknowledgement for
V.A.E.

Planes Fame Air Museum／Flying Heritage Collection
Military Aviation Museum／Texas Flying Legends Museum
Legend Flyers／Reno Air Racing Association
The Collings Foundation／The Gathering Foundation
Imperial War Museum Duxford／Warbirds Over Wanaka

2022年7月25日発行

著者	佐藤 雄一／藤森 篤
編集・映像制作	鈴木喜生
デザイン	Voyager Orbit
発行所	株式会社 EDITORS 東京都世田谷区玉川台2-17-16 2F Tel.03-6447-9450 https://editorsinc.jp
発売元	株式会社 二見書房 東京都千代田区神田三崎町2-18-11 電話 03(3515)2311[営業] 振替 00170-4-2639
印刷・製本	株式会社堀内印刷所

ISBN 978-4-576-22511-1

本書は2014年12月に枻出版社から発売されたムック『世界の傑作戦闘機とレシプロエンジン』に加筆・修正をして再編集したものです。